Soul Split in Half

반으로 분열된 영혼의

과감한 멈춤

사진 · 그림 · 글 은미

Soul Split In Half

『반으로 쪼개진 내력벽 들어 봤어?』

『그럴 리가. 내력벽이 무너지기 흔치 않지.

부실공사가 아니라면 말이야. 불향이거나.』

『벽돌 위에 벽돌을 쌓아 올린 것처럼 성장했다 생각했는데

답답함만 남아있던 거지. 한순간 우르르 흘러 내렸던 거야.

뜨거운 눈물과 같이 녹아내린 거지.』

『다행이네. 드디어 녹아내려서. 그럼 무에서 다시 시작할수 있다는 거잖아.

좋은 일로 채워갈 수 있겠어.』

『진짜 다행인 건 여름이라 땀인지 눈물인지 구별하기 어려워서

오는 버스 안에서 마음껏 울었는지도 몰라.』

『버스 안에는 계절이 무슨 상관이야. 여름이든 겨울이든

네가 우는 모습은 다 보이지. 가릴 수 없는 공간이잖아. 바보야.』

반으로 쪼개진 커다란 슬픔을 안다

내력벽은 건물의 하중을 부담하는 구조체를 말한다

무슨 일이 있어도 허물 수 없는 벽이다

- 안희연 <단어의 집>

“ 야, 다 그렇게 살아! ”

“ 뭐.. 다 그렇지.. ”

“ 별 수 있나.”

성숙함을 보여도 어리니까,
어리광을 피워도 어른이니까
결코 피할 수 없었던
스물아홉 비상착륙

보통의 일기 형태와 달리 기록 형태의 일기
서툰 어휘 투성이 내 마음대로 짓거린 문맥 투성이
그날 살았던 진실 속 사유를 그대로 표현한 기록

솔직할 것
정확할 것
숨김없이 투명하게 보여 줄 것
두서 없는 내용일지라도 반드시 지켜야하는
나만의 규칙이 성립된 기록

온 마음 다해 바쳤던 솔직한 고백
함부로 따라할 수도
굳이 따라하고 싶지 않을
그날의 기록

좋았던 점 나빴던 점
Good & Bad
그럼에도 불구하고
오늘을 해낸 근사한 하루 기록

" 바보는 너야. 이 바보야. "

세상 다 산 사람처럼, 세상에서 자신의 말이 다 맞는듯

이게 맞니, 아니니 하는 자기계발서는 더더욱 싫고

그게 정답인 마냥 말해오는 것들은

세상에서 제일 증오해, 경멸해

'남의 눈에 눈물 내면 제 눈에는 피눈물이 난다' 는 말을
엄마가 입에 달고 살았던 말이었어. 그 말은 결코 공감할 수 없었는데
스물아홉번째 방지턱에서 격하게 공감한 채 철푸덕- 대자로 뻗었어!
그냥 그 순간에는 입에 달고 살았던 엄마 말만 내 귓가에 맴도는 거야

그러던 엄마가 나한테 이런 말을 해왔어

"나쁜 마음, 싫은 마음 가지고 있으면 그게 다 너한테 해로워.

그런 마음조차 가지지 말고 버려."

엄마가 많이 약해졌다는 걸 알 수 있던 말이자 엄마가 살아보니 다 부질없었다, 하는 말과 같은 거지. 나만큼은 자신이 겪었던 불행을 굳이 선택하지 않았으면 하는 바람. 난 그 바람을 뜨겁게 눈물 흘려가며 솔솔 맞기로 결심했던 것 같아.

지금 고통을 겪고 있는 거기가 세상의 전부가 아니며 반드시 나아질 수 있다는 희망을 허락하는 것. 누군가는 성공을 하고 또 누군가는 실패하겠지만 적어도 누구도 고립되지 않게 하는 것. 그런 것이 가정폭력, 학교폭력, 직장 내 따돌림에 대처하는 첫걸음이 아닐까요."

"입장이 바뀌면 보이는 풍경이 달라진다는 말을 흔히 합니다. 입장이 바뀔 때마다 달라지는 풍경이라면, 그건 지금 내 눈앞에 보이는 풍경을 세상의 유일한 진짜 모습이라고 확신할 수 없다는 의미이기도 할 겁니다. 확신할 수 없다면 단정 지어 생각하고 행동하는 일 또한 조심해야 하겠지요."

- 허지웅 <최소한의 이웃>

내가 이래서 '허지웅' 작가의 '사고'를 좋아하는데, 우리 엄마는 따듯하면서도 불나방같이 찰싹 달라붙게 한다면 허지웅 작가는 내 귓속에만 말해주는 것 같아서. '이런 바람도 좋던데, 한 번 쐬러 가보는 것도 좋지 않을까?' 하니까. 그게 나를 참 안정된 자리로 이끌고 가더라고.

"왜 그토록 먹먹했는지.. 당사자가 아니면 절대 몰라"

편안하게 읽힐 수도 있고

불편하게 읽힐 수도 있는

93년생의 한 아홉수 일기

8월 느지막한 때부터

그 해 마지막 페이지 공란까지

약 4개월간 감정 털이 기록

결코 단단해 지기 위한

부단한 노력이었음을

"그랬구나.."

하며 감싸주길

차례

세상은 결코 선한 것과 악한 것 혹은 옳은 것과 그른 것으로 명쾌하게 나누어지지 않습니다. 그 사이에는 반드시 회색지대가 존재하며, 입장과 관점에 따라 판단이 완전히 달라지는 경우도 허다합니다. 때로 불경하고 비윤리적으로 보이는 회색지대를 바라보는 일은 불편하고 고통스럽습니다. 하지만 세상을 바꾸는 대안과 영혼을 살찌우는 양식이, 언제나 저 불편한 회색지대 안에서 나왔다는 사실을 우리는 결코 잊어선 안 됩니다. 회색지대를 정면으로 마주하고 고민할 때, 비로소 우리는 진짜 위기에 대비할 수 있습니다."

– 허지웅 〈최소한의 이웃〉

08,25

나로서도 끝이 보였다

좋은 게 없다.

믿었던 사람, 그의 배신. 그리고 포기. 무책임함.

단 한 시간 만에 내용이 오고 가며 결론이 내려졌다.

나로서도 끝이 보였다.

내 의지가 아니든 말든

납득이 되든 말든

서로에게 더 이상의 노력과 애증은

한 시간, 아니 어쩌면

그의 첫 한마디에서 종결된 거나 마찬가지였다.

여태 맞지 않는 틀에 억지로 끼워 맞추고 있단 걸

그 누구보다 나 스스로가 더 잘 아는 사실이니까. 맞으니까.

그의 그림, 그의 세상에서 분리.

상관없다.

이제 겁나지 않는다.

잃을 게 없다. 잃을 게 많은 사람일수록 두려움은 큰 법.

그는 날 잃었다.

난 팀을 잃었다.

어차피 끝날 거 하지 못한 말들 머릿속에 가득차서 터져버릴 것 같은 하루였다.

이로써 나도, 팀도, 팀장님과도, 끝이다.

- 2021년 08월 19일. 38도 열기 속 48시간의 촬영 현장

" 넌 뭘 하고 싶니? "

" 본부장님은요? 팀장님은요? "

08.26

주눅들고 싶진 않다

좋은 마무리라는 건 없겠지.
아침에 곯기 전에 서운함에 대한 속내를 털었다.
억울함 속상함 허무함 허탈함 서러움
갖가지 감정들로 휩싸여 정리하는 동안 내내 울었다.

울고 일하고 삼키고. 이런 게 사회생활이겠지.
가볍게 생각하지 않는다. 감정보단 이성, 조금은 나 자체를 돌아보는 계기. 맞지 않는 팀 구조에 안될 인연에 억지로 날 끼워 구겨 넣는 걸 내려놓겠다.

불합리한 결론은 아니다. 그도 이성적이고 합리적인 선택이라 결정했겠지만 그에 대해 대가를 치러야 하는 것도 분명 있을 테니. 새롭게 시작해보자.

한 팀의 구속에서 벗어나 홀로 시작이지만, 누구에게도 새로운 시작이고 함께냐, 홀로 시작이냐의 차이. 실수, 아니다. 경험했고 실패했고 난 나아갈 길이 만들어졌다. 쉽지 않을 것이다. 이미 말도 안되는 환경 속에서 버텨봤고 벗어났으니 그에 환경에 또 적응하고 나아가면 되겠지. 안되면 이것, 저것 도전해보자. 견디고 버텨내자. 확실히 멘탈은 강해졌다. 덤덤함이 다른 걸 보면. 비록 오늘 하루 종일 흘린 눈물들이 결코 다시 일어설 수 있는 용기이기를.

오늘 하루 고생 많았어.
근사한 하루였고.
근사한 나도 되었네.
근사해 나!

오늘 하루 고생 많았어.

근사한 하루 였고.

근사한 나도 되었네.

근사해 나!

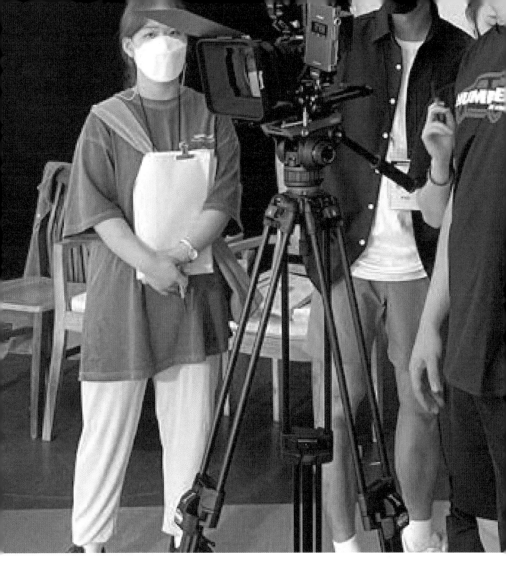

- 2021년 08월 19일 . 38도 열기 속 48시간의 촬영 현장

" 원래 하던 일 빼고 하고 싶은 일 생각해봐"

" 그럼 당연히 이 곳을 떠납니다!"

08.27

억울함 속상함 허무함 허탈함 서러움

좋은 건 역시 딱히 없다.

다만 어제와 다르다면, 분리에 확신한 결정을 얻고 온 것.

그렇구나. 분리되면 분리되지 뭐.

쳐다도 보지 않는다. 같이 고뇌하며 밤새운 시간, 흘린 땀들

아무것도 아니라는 듯 한없이 매정하게 달라졌다.

그의 수많은 머리숱 사이에 흰 가닥 새치를 뽑아줄 정도

애증의 관계였던 우리는 드라이아이스처럼 살결이 닿는 순간 살 딱지가 떼어질 정

도의 날카로운 냉기를 가질 정도로 매정하게 끊어졌다. 나도 팀장도. 서로 생각 정

리할 시간이 필요하겠지. 내가 더 길 것 같긴 하지만 주눅 들고 싶지 않다.

이번이야말로 인정하고 싶지 않다.

이대로 내 자리를 박차고 나가는 건 내가 너무 억울할 것 같다.

본부장님과의 면담. 뜻깊었다. 자책할 필요 없고 내 탓 하지 말고. 자존감 자신감.

그냥 나대로 하자.

그리고 내년 5월까지만. 딱 버틴다.

내가 할 수 있는 일. 스스로 찾아보겠다.

08.28

다 알 수도 없고 안다고 생각해도 또 바뀐다

마음을 편안하게 갖고 살자.

너무 많은 부담은 결국 작은 일도 어렵게 만들고 무언가를 할 때마다 마음을 다치게 한다. 다른 사람에게 친절하거나 배려하는 건 나의 장점이다. 나는 어떤 사람인지 너무 많이 생각하지 말자. 다 알 수도 없고. 안다고 생각해도 또 바뀐다. 자신감을 갖고 살고 그때그때 부족한 모습은 채워 나가면 되었다. 안 좋은 기억을 너무 많이 생각하지 말자. 결국에는 조급함만 남는다. 지금 해야 할 일을 못 해 생기는 조급함과 지금 행복하지 않아 남들과 비교하게 되는 마음에 조급함이다.

사람에게 너무 기대지 말자. 내 할 일을 열심히 하고 혼자서도 잘 믿어보자. 건강한 마음에 균형이 생긴다. 어려운 일은 원래 어렵고 잘되는 일은 또 잘된다. 너무 모든 것에 신경 쓰고 걱정하며 일희일비 하지 말자. 시작했으면 흔들리지 말고 마음을 단단히 갖자.

08.29

나에겐 이제 동기는 '마지막'이다

생각을 계속 정리했다. 어렵게 힘들게 맺어진 인연.

굳이 노력하지 않아도 될 인연. 모두 정리했다.

맞지 않는 것에 억지로 틀을 맞추려 하는 걸 그만한다.

쉬고 또 쉬었다.

힘들 걸 각오하지만.

마지막이라 생각하며 버틸 수 있다.

나에겐 이제 동기는 '마지막' 이다.

08.30

엄마의 사랑에 비하면 어린아이일 뿐

Good)

. 하루 종일 정신 없이 돌아다녔다. 아침 9시부터 일어나 시작하는데, 엄마의 정성스러운 한끼 밥상이 차려져 있다. 엄마의 사랑이 과분했다. 엄마의 사랑과 진심에 비하면 여전히 어린 아이에 불과하다. 머릿속에 들어가는 지식의 양은 많아도 엄마의 진심 깊이에는 따라올 수 없다.

. 최근에 집 이사를 계획하고 있다. 리모델링부터 시작해서 나머지 잔금을 처리하고 등기만 남아 있는 상태다. 이제 정말 이사 가는 게 실감난다. 마치 원래 내 터가 아니었던 듯 집도, 회사도 머물렀던 자리를 비워야 할 때라 말해주는 것 같다.

Bad)

. 형식 치례 보내오는 메신저엔 이제 의무적으로 대답하지 않는다. 팀장님 메신저는 더더욱 그렇듯. 자신의 실속을 위해 함께 불 싸질렀던, 자신의 그 자리에 있기까지 공을 바쳤던, 수고로움 따위 없이 내동댕이치듯 던져버린, 무례함에 친절할 이유는 없다.

. 나를 만만하게 보는 행동에 이제 가만두지 않는다. 혼자서 굳세고 여유를 찾고 균형을 찾으려 노력할 것이다. 온전한 '나'로 살아가기로 했다. 10대도, 20대도, '나'를 위한 삶이라 생각해본 적 없는 자초한 불행을 과감히 잘라 내기로 굳게 결심했다.

" 저 저 저‖‖‖ 저 놈‖‖‖‖ 네 이놈ㄴ‖‖‖‖‖ "

- 2021년 08월 19일. 38도 열기 속 48시간의 촬영 현장

" 그 치열함이 나를 위했다면 더할 나위 없지 "

" 신선했어. 나름 "

08,31

모두를 충족할 이유도 없다

Good)

. 엄마와 절에 갔다. 절에 가서 한참을 절하며 기도했다. 부처님께 지난 과거들 속에 잘못을 참회하고 실패와 좌절을 인정하고 내일부터 새롭게 시작할 수 있는 용기와 슬기로운 지혜를 심어 달라고 기도 했다.

. 리모델링 업체 견적과 계약서도 최종 확인 했고 새롭게 사야하는 가전 비용 확인해서 남은 비용까지 확인했다. 엄마 아빠와 같이 사는 본가 이사 계획을 전적으로 내가 총괄 담당하는 셈이다. 이제 곧 퇴사를 앞두고 있으니 한숨 돌리는 여유가 생겼다 생각할 수 있겠다. 엄마도 아빠도 자연스럽게 나에게 일임하게 된다. 퇴사 후에도 뒹굴 대는 백수 라이프는 용납되지 않는가 보다.

Bad)

. 일도, 집도 이제는 한 템포 쉬어 가는 여유를 되찾으라는 의미를 얻어가고 싶다. 진짜 내 사람 1~2명 정도면 충분하다. 모두를 충족할 이유도 없다. 균형을 다시 잡고 시작하자. 두려워 하지 말자. 6년 동안 가득 쌓아 올렸던 경력치를, 게임에 비유하자면 경험치를. 모두 잃어버린 활력을 찾기 위해 가지고 있는 무기를 모두 되팔아버리는 행위와 같다. 힘내자

내일을 위해 나에게 자신감을 채우고 시작하는 날.
두렵지만 해보겠다며, 힘을 가지고야 만다.

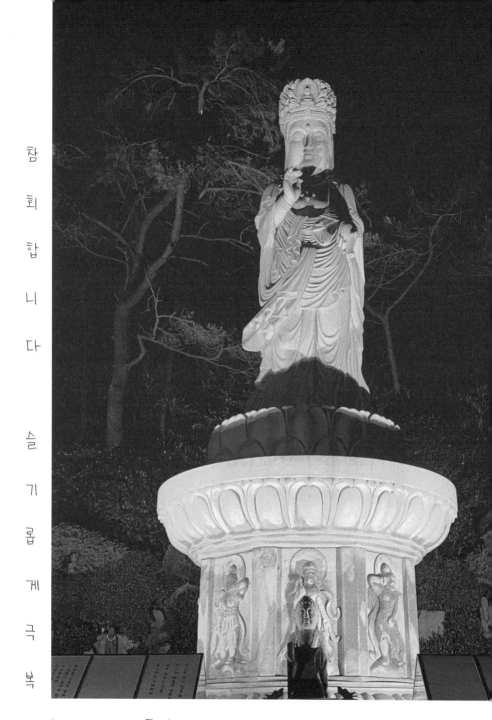

참
회
합
니
다

슬
기
롭
게
극
복

할 수 있는 지혜를 심어주세요

'22 8 22

- 2022년 8월 22일 . 1년 지난 엄마와 수원천에서

" 난 요즘 딸 덕분에 숨쉬고 살아 "

" 내가 한 살림살이 하지? "

09.01

정답은 내 마음먹기 달린다

⟨Good)

1. 생각보다 혼자서 정리하는 시간이 쓸쓸하지 않았다. 틀 안에 갇혀 뱅뱅 돌기보다는 머문 자리를 정리하고 새롭게 나아갈 준비에 다시 각을 재본다.

2. 또 다른 경로가 놓여 있고 진입하기 위해서는 정말 내 '마음' 먹기 나름이었다. 정답은 없었다. 6년이 채워지고 7년이 시작되는 이 시점에 새롭게 시작할 때가 맞는 것 같다. 일단 해보고 난 후에 결정해 보기로 결심했다.

⟨Bad)

1. 더 이상 감정적인 대처는 그만할 예정이다. 감정보단 이성적으로, 어떻게 현명하게 대처해갈지 고민하게 된다. 이의 고민에 진지하게 생각해주는 친구들 덕분에 살아갈 수 있다.

2. 정답이 없다 보니 더 힘든 결정이고, 정답은 내 마음먹기 달린다. 이에 나는 회피하지 않고 도전해보고 아니면, 그때 그만두더라도 올해 까지 잘 마무리 하고 싶다.

ㅣ게 나의 이 회사에서의 마지막 목표가 될 것 같다.

세상에 마지막은 죽음 말곤 없더라

마지막 '처럼' 으로 정정해주길 바래

- 2022년 8월 20일. 1년 지난 Fujifilm 나승준 개인전

"지은아 이것 봐 길 만든다는 걸 이렇게 표현 했어"

"음 난 다른 게 원픽"

09.02

평가 하나로 낙인이 되는 것

새로운 각오를 들고 갔으나, 계약서의 내용으로 하루를 모두 소진했다. 연봉협상 대상자고 다시 협상해야 하는 시기에 계약 해지와 동시에 수습으로 시작하자는 제안. 이런 부당함을 안고 해야 하는 이유는? 내가 이 회사에서 밤새며 몸 바쳐 일해 봤자 돌아오는 건 원금 손실 보장성 보험 같은 개소리를 친절하게 나오면? 무엇보다 책임지지 않겠다는 것은 확실히 이해했다. 계산적인 본부장님의 제안 앞에 심히 화가 끓어 올랐다.

' 아. 이게 회사 오너의 에티튜드구나.'

사람을 먼저 생각한다는 분이 계약 해지와 동시 계약직으로 계약서를 다시 쓰자는 제안 앞에 노동법 조항을 알아본 나의 말들 앞에서,

' 내가 법은 잘 몰라서. 난 어떻게든 너와 같이 일하고 싶은 방법을 궁리하다 내놓은 말들이었어.'

계산적이면 끝없이 계산적으로 요구가 늘어났다.
이게 회사고 사회생활이라면 여기서 접겠다.
조금, 아니. 심히 구역질이 날 뻔 했다.

마지막 대표님 면담에서 모든 걸 털어놨다. 내 생각, 현재 위치. 부당함. 그것이 내가 만든 결과로 이런 대우까지 받아야 하나.

더 이상 상처받지 않고 살아가고 싶다. 사람에게.

시작부터 잘못 꿰맨 곳은 결과도 같은 양상을 보여오나 보다. 그러니 끝도 좋지 않을 수밖에. 어떠한 책임도 가질 것이다. 내 인생의 책임은 오롯이 내가 진다.

내려놓는다.
주말 동안 다시 새로이 하고자 했던 결심마저도
끝까지 해보기로 결심했고 나 혼자만 진심이었다.

그렇게 지금까지 바보같이 나에게 상처인 걸 알면서도 견뎌왔고 버티고 있으나 더는 할 수 없는 방법이 없다. 이곳에서는 펼칠 수 있는 한계가 분명하기에 다른 경로를 선택하는 것을 한없이 냉정하게 굴고 싶어졌다. 그것을 선택안으로 결정했다.

고생한 것들 뒤로한 채 평가 하나로 낙점이 되는 것. 하지만 굴하지 않는다.
방향은 틀면 될 뿐!

- 2022년 8월 20일. 1년 지난 Fujifilm 나승준 개인전

" 저건 어떤 우유일까 상하목 장일까? "

" 아니 그게 궁금하다고 ? "

09.03

진심을 적어 마무리를 지었다.

재택근무를 했다.

이 회사 공간에 우리 팀원만 빼고 나머지 사람들은 재택근무를 열심히 잘 활용하며 건강한 삶을 누리고 있다. 코로나 없는 세상에 살고 있던 우리 팀, 그중에 재택근무보다 팀장님과 함께, 팀원들과 함께 섞여 일하는 것이 윤활유 같아서, 그게 좋아서 자발적 출근을 선택해오며 수원에서 서울 서초까지 왕복 3시간~4시간 소요되는 출퇴근 시간을 감수하며 6년을 가득 채운 커리어를 만들어, 현재의 결과를 얻기까지. 나는 무엇을 위해 살아왔는가? 하는 질문이 절로 나왔다.

무엇보다 나에게 닥친 현재 상황에서,
가장 의지하고 애정했던 사람, 의 얼굴이 보이지 않으니 숨통이 트이는 것 같았다. 정리하는 시간을 내내 가졌다. 마치 권태기를 맞아 위기를 맞이한 커플처럼 나 혼자만의 이별 시간을 가지는 듯, 업무의 정리보다 함께했던 사람들과의 하루하루를 돌이켜 보며 앞으로의 내 안부를 전했다.

나는 앞으로 어떻게 살아갈 건지, 그러니 걱정하지 말고 하고자 하는 일에 집중하며 살아가기를.

진심으로 응원한다고. 그럼 이제 내 차례만 남은 것이다.

온종일 힘없는 엄마의 모습에 마음이 쓰였다. 내 걱정으로 인해 엄마가 힘없어 보이는 건 아닌가 싶어, 오히려 내가 더 엄마를 격려해주었다. 오늘 엄마도 심란할 수 밖에 없는 일이 있었다. 유방 물혹 검사를 하고 난 후 조직세포 결과가 나오는 날이라 걱정했을 것이다. 조직세포 검사를 한다는 것 자체가 일단 '암'의 여부에 대해 알아보기 위한 과정임을, 9/13 월요일 수술 날. 그때 엄마와 함께 할 수 있어서 다행이었다. 어쩌면 내려놓음이 바빴단 핑계로 보살피지 못했던 나, 주변, 소중한 사람들의 틈 사이사이까지 세세하게 바라볼 수 있는 계기가 아닐까, 뜬금없는 설렘까지 생기기도 했다.

좋은 일들이 생겨 잘 풀렸으면 좋겠다. 이사도 잘 마무리되고 새롭게 모두 잘 시작됐으면 좋겠다.

오늘 나와 함께 한 우리 팀원들에게 편지를 썼다.
가장 애정했던 사람이지만 가장 증오하는 대상이 되어버린 팀장님에게도.
진심을 적어나갔고 마무리를 지었다.

- 2022년 8월 13일. 30년째 한 자리 유지하고 있는 약국

"와 우리약국 아직도 있네"

"너만 떠났어. 왜 떠나갔어?"

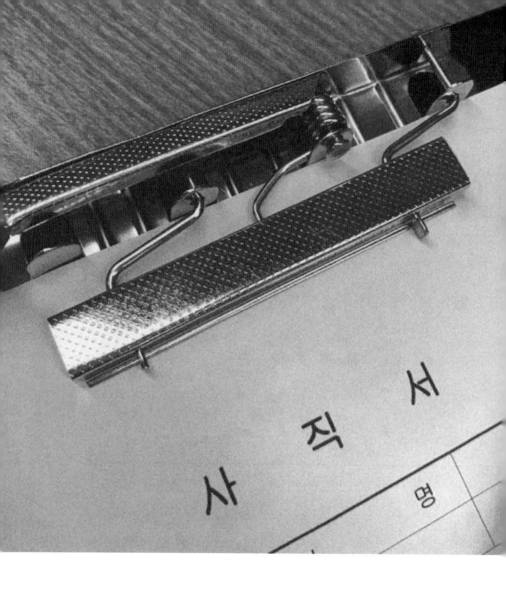

사 직 서

명

09.06

이렇게 끝이 났다

퇴사 날을 정하기 위해 출근을 했다. 마지막 출근이 될 거라곤 예상조차 하지 못했지만, 언제일지 모른다는 생각에 혹시라도 모를 경우를 대비해 주말에, 아니 금요일에 한명 한명 생각하면서 적어둔 편지가 이리 빠르게 전달해주게 되니 좋을리가. 그 편지들을 넣고 가방을 메고 출근 했던 오늘. 마지막이라는 촉은 변치 않았다. 마지막이라는 길도 누군가가 챙겨주지 않는다. 처음도 끝도 내가 선택하고 책임진다. 그 속에서 어떤 배려랍시고 배려는 더 이상 나에게 따뜻할 순 없었다. 뒤에서 챙겨주는 건 의미가 없다. 나에게 얼마나 직접적으로 다가와줬는지가 중요했다. 내 기준으로는.

아무튼, 하루 빨리 퇴사일을 정하고 마음 편히 쉬고 싶단 생각은 변치 않았다. 다만 지난 과거의 실수처럼 섣부른 판단이 아닐지 염려될 뿐. 끝맺음을 맺는 건 그 어느 때보다 신중했던 것 같다. 갱신된 연차 15일을 모두 소진하고 9/30에 퇴직처리 될 수 있도록 협의를 했다. 이것이 대표님께서 나에게 해줄 수 있는 최선의 배려였다. 내가 원했던 마지막 요구였으니까. 다행히 대표님께서 마지막 요구를 수용해주셨고 실장님께서 마지막 퇴직 길까지 많은 도움을 주셨다. 지난 1주는 나에게 가장 힘든 시련이었지만 넘어야 하는 산이었고 인생에 있어서 현명하게 대처해갈 수 있는 방법을 실천했던 것 같다. 바로 포기하지 않았고 끝까지 갔고, 생각하고, 대응했기에 더는 후회없이, 미련없이 떠날 수 있었다.

사직서를 쓰고 나왔다. 나오는 길을 엘리베이터 앞까지 배웅해주는 고마운 사람들 그 속에, 나와 조금은 거리를 둔, 큰 키와 보통의 덩치의 남자 사람이, 애써 숨는 듯 시고 뒤로 숨어있던 팀장님도.

' 저 갈게요. '
' 고생 많았어요. ' 짧은 한마디 속에 끝내 내 눈을 마주하지 않았던 눈, 그의 얼굴 이었다. 그 얼굴을 뒤로 한 채 모든게 정리되어 마지막 발걸음을 옮기며 원래 내 자 리가 기다리고 있다는 듯, 제 자리를 찾으러 돌아가는 느낌, 그렇게 나는 돌아갔다.

가득 찼던 열망, 열정, 열등, 눈물, 상처, 쾌락, 보람, 성취, 욕구, 욕망, 야망, 애정, 애증, 열망, 동경의 7년차 마케팅 광고 기획자는 타의였지만 자의였던 결론으로 결 국 이렇게 마침표를 찍었다.

시원 섭섭한 결말
이렇게 끝이 났다.

"아무도 허물 수 없다며!

반으로 쪼개지는 건 뭐지?"

09.07

나의 가치를 만드는 '일'

(Good)

1. 일어나려 할 때쯤, 엄마가 나를 깨웠고 시장 가서 생필품을 사 오자는 말에 비 오는 날씨와는 상관없다는 듯 우산을 쓰고 나란히 잘 다녀왔다.

2. '나의 가치를 만드는 일' = 내가 일하는 이유였다. 내 가치를 몰라주고 부정하 는 곳은 필요 없다. 이젠 내 가치는 내가 만들기로 결심했다. 타의의 인정이 아 닌 나 스스로의 인정. 떳떳하고 당당한 인정. 천천히 내가 하고자 하는 일의 시 작점부터 생각해본다. 빈 종이를 열고 한 글자도 써 내려가지 못했지만 쓰지 않던 무선 키보드의 건전지가 방전돼서 교체하고, 아이패드에 연동해서 시작이 라도 시도했다는 것에 큰 의의를 두고 싶었다. 이제 나의 가장 큰 무기는 시간. 시간은 많다. 조급하게 생각하고 행하는 것은 그만. 진지하게 진심으로 몰두하 는 일을 시작해보고자 하는 내 의지. 그 의지를 강하게 각오하고 시작해보고자 한다.

(Bad)

1. 아빠의 생일이었다. 오빠와 나는 서로 돈을 모아서 생일 선물로 현찰로 전달했 다. 적은 돈이지만 더 이상 부끄럽게 살지 않았으면 하는 자식으로서의 소망이 기도 했던, 선물의 의미를 알아주었으면 좋겠다.

2. 시끄럽고 복작복작한 하루였다. 온전히 나를 위해, 나에게 집중하는 시간을 가지고 싶다. 아직은 그러지 않아도 된다는 시끌복작한 날이었을까. 정신없이 혼미해질 정도로 복작스럽다면. 생각할 틈도 없으니 말이다.

09.08

하나라도 좋았다면 좋은 하루

(Good)

1. 신기하다. 벌써 수요일이라니. 그렇게 하루하루가 길다고 느껴졌던 시간이 이리 쏜살같이 지나갈 수도 있다니 몸소 체감한 오늘이었다. 역시 노는 건 시간이 금방 간다. 생리가 터진 바람에 요가 수업에 불참을 선언했다. 아직은 성급히 가지 말란 계시인가. 대신 8km를 걸었다. 아침부터 저녁까지 해야할 일을 마치고 돌아왔다. 많이 걸었다. 뿌듯해!

2. 토리토리가 드디어 온다. 작년 12월부터 올해 9월이 돼서야. 9개월 동안 한 번도 만나지 못했고 연락 한번 마음 편히 제대로 하지 못한 채 시간이 흘렀다. 다행히도 크게 다친 곳, 아픈 곳 없이 나에게 다시 한번 돌아와 줘서 고맙다.

(Bad)

1. 오늘은 일정이 꽤 많았다. 우체국에 들려서 퇴사할 때 그대로 들고 온 사원증을 등기로 부쳐야 했다. 다음 일정으로 교대로 넘어가 내 몸에 과감히 투자했던 전신 마사지 케어 서비스의 환불 해결도 해야 했다. 쥐고 있던 불행 가득한 짐을 내려놓은 기념으로 점 보러 가는 일정 까지 만들었다.

2. 점. 봤다. 하던 일 다시 정리하고 할 생각이니 그냥 단순 의지로 안 되겠다. 지금은 마음이 생기지 않는다. 일은 좀 후에 생각할래.

나의 시간, 나만의 시간

하루에 하나씩 보람

말고

의미 있는 일 아니어도 좋고,

하나라도 좋았다면 그거야말로 좋은 하루가 되지 않을까 싶다.

*토리토리 : 내 남자친구 애칭, 직업은 외항선 항해사. 세계 항구 바다 방방곡곡 항해하는 원피스 루피

자갈
Gravel

oil on canvas
22*22(cm)
2021

산호
Coral

oil on canvas
22*22(cm)
2021

연꽃
Lotus

oil on canvas
22*22(cm)
2021

수박
Watermelon

oil on canvas
22*22(cm)
2021

09.09

나의 한 세상이 무사히 출국했다

Good)

. 오빠랑 같은 날, 백신주사를 맞았다. 맞고 나서 계속 팔이 아파왔다. 환장. 점심으로 삼겹살을 구워 먹었다. 팔이 아픈 것과 식욕은 별개였다. 그 전에 엄마가 홀로 장 보고 가득 담은 짐을 질질 끌고 오면서 커피 하나씩 들이키며 집으로 돌아왔다.

. 생리 3일째에 생리통 약을 먹지 않고 버틸 수 있다는 건 요 근래 가장 놀라운 일일 것이다. 회사 다니면서는 꿈도 못 꿨던 일인데 말이다. 스트레스가 만병의 원인. 퇴사가 모든 정답은 아니지만 스트레스 요인을 잘라내는 방법 중 가장 탁월한 방법인 건 부정할 수 없는 사실이었다. 나의 기쁨이 하나 더 가중되는 사실, 토리토리가 무사히 출국했다. 비록 격리기간을 가져야 해서 당장 마주하고 껴안을 수도 없어 애슬프지만 아무렴, 아프지 않고 다친 곳 없이 돌아와 준 것만으로 고맙다.

Bad)

. 온전히 나 혼자 집중하는 시간을 가지고 싶다. 인생을 설계하는 시간이 필요해. 그 시간!

. 백신을 맞고 와서 계속 잠이 쏟아져 그대로 낮잠까지 청하기도 했다.

모두 다 일할 때

낮잠 자는 휴식

말이라도 꿀 같잖아

그 꿀 같은 거

당분간 매일 누릴 수 있어

*토리토리 : 내 남자친구 애칭, 직업은 외항선 항해사. 세계 항구 바다 방방곡곡 항해하는 원피스 루피

09.10

일주일이 벌써 지났다니

Good)

. 알람이 따로 울리지 않아도 자연스럽게 눈이 떠져 기상한 하루. 오늘 하루는 무엇을 하면서 하루를 보내지, 생각과 동시에 샤워하고 나오니 기분이 너무 상쾌했다. 샤워하고 나와서 오빠와 점심을 함께 했다. 팔이 여전히 아팠지만, 생각보다 참을 만했다. 그대로 나와 우체국까지 걸어갔고 회사 주차 키 버튼도 등기로 동봉해서 우편으로 보냈다. 이제 진짜 끝이라고 하자.

. 우체국 볼일 마저 끝내고 오빠도 동사무소에 가서 등본 떼고 오는 길이라 해서, 중간에 만나 내가 가장 좋아하는 카페 브랜드 스타벅스에 들러 나란히 커피를 사 들고 왔다. 엄마가 좋아하는 KFC에 가서 옥수수 샐러드와 감자튀김도 사 와서 간식을 선사해주었다.

Bad)

. 9월 한달 은 이렇게 쉬고 싶다. 생리도 얼른 끝나라. 걸리적거리는 것 하나 없는 무공해 휴식을 하고 싶어

. 이게 노는 게 맞겠지? 시간이 금방금방 간다고 느껴지는 걸 보면. 일주일이 벌써 지났다니.

09.11

들쑥날쑥. 가장 좋은 기분이었나 보다.

- 2022년 8월 13일. 만두 팸과 '한산' 영화본 후

" 왜 안 나가는 거야 우리? "

" 쿠키영상 없대 "

(Good)

1. 걱정, 근심 따위 없는 하루의 연속. 일주일이 끝나고 퇴사 후 처음 맞는 주말이다. 이유없이 많이 예민한 오늘, 생리 5일차. 모순과 불순이 가득하지만서도 기분은 들쑥날쑥하다. 아? 이게 글쓰기 가장 좋은 기분이었나 보다.

(Bad)

1. 오빠도, 토리토리도, 아빠도, 모두 마음에 들지 않는다. 내 뜻, 내 기준대로 살아갈 순 없지만 그래도 너무하네. 이기적이잖아. 나도 이기적이면 되는 것이겠지. 무례한 것들에 배려할 이유는 없어.

09.12

생각하는 걸 멈추고 싶다

(Good)

1. 걱정이 없는 것 같은데 뭐가 그리 성급한지 생각이 많다. 생각하는 걸 멈추고 싶다. 내가 하고 싶은거 다 하면서 정리가 어느 정도 되었을 때 시작하고 싶다. 그렇게 할거고!

2. 2~4시 정오경, 햇살, 햇빛이 가장 뜨거울 때 나가 산책했다. 2시간 가까이 돌아다니다 앉고, 다시 일어났다가 앉고, 산책하다가 그렇게 반복하고 집으로 돌아왔다.

(Bad)

1. 일주일에 한번, 집에서 밥 한번 먹는 오빠가 밥 한끼 먹는 거에 피곤하게 구는 게 짜증이 났다. 답답해서 나가버렸다.

09.13

도중에 누수가 발견됐다

(Good)

1. 엄마 유방 혹 제거 수술이 무사히 잘 끝났다. 수술이라고 하기엔 시술에 가까웠지만 그래도. 부분 마취로 시행되다 보니 진통제에 힘들지 않을까 걱정했는데 다행히 푹 잘 쉬고 집에 무사히 돌아왔다. 걱정한 시름 났다. 입원은 당일이면 충분하다고 했다. 당일 입원하는 동안 엄마 옆에서 아이패드로 글을 쓰며 시간을 보냈다.

2. 엄마의 아픔을 옆에서 묵묵히 지켜주면서도 신경을 덜 쓰게끔, 선택한 나의 방법. 내 글은 소식을 공유하는 데에 의의가 컸다. 내 글을 평가해주는 사람들이 늘어나서 기쁘기도 하고, 왠지 해낼 것 같은 느낌이 들기도 했다.

(Bad)

1. 엄마 수술하러 가기 위해 현관을 나섰던 오늘 아침, 관심도 두지 않고 밥그릇 챙기기에 바쁜 아빠 모습에 한심의 끝판왕이라 생각했다. 더 이상 말 섞지 않았다.

2. 오빠의 짜증 섞인 말도 듣기 싫다. 고생했다고 스타벅스 기프티콘도 준 오빠가 정말 고마웠는데 날 힘들게 하는 것 같아서 싫기도 하다. 이런 모순적인 어법이 다 있나 싶겠지만 남매란 그런 것 같다.

3. 이사하려는 집 리모델링하던 중, 담당자에게 연락이 왔다. 수리하는 도중에 누수가 발견됐다, 누수로 온 가족이 위층으로 올라와 누수 협조 요청을 구했다. 다행히 위층 이웃분들이 협조적으로 나와주셔서 업체 불러 같이 확인해보기로 했다.

길고 긴 하루를 끝냈다.

오늘 하루 유독 길었지만 보냈다.

하루를 보낸 근사한 일을 해냈다!

- 2022년 7월 27일. 부산 롯데호텔 수영장에서 오빠 엄마

" 그만 찍고 빨리 들어오라고 ! "

" 내 마음이야 "

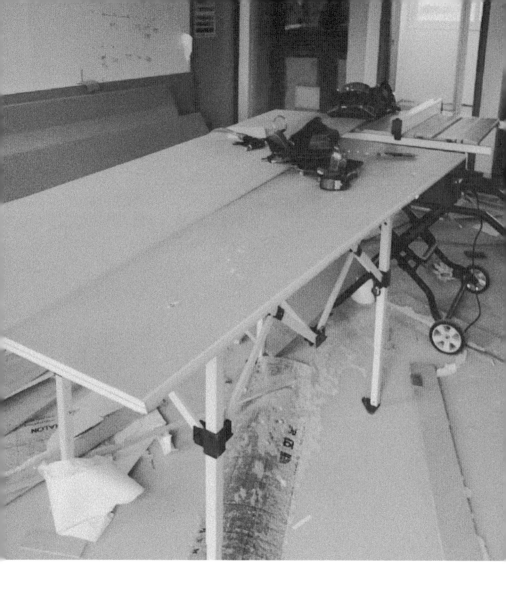

09.14

큰 문제 없이 잘 아물 수 있으니

(Good)

1. 엄마 손을 잡고 나란히, 수술 후 경과와 치료를 하기 위해 병원으로 갔다. 다행히 상처가 잘 아물 수 있지만, 반창고를 붙여 놓은 부분이 엄마의 연한 살이 견뎌내지 못해 물집이 잡혀버렸고 원장님이 발라주는 소독약에 엄마는 따가운 걸 넘어 온몸이 부르르 떨릴 정도로 아프단 말도 못 한 채 어금니 꽉 깨물고 참으면서도 아파했다. 그래도 다행이다. 큰 문제 없이 잘 아물 수 있으니.

2. 집으로 돌아와 아무렇지 않게 일상을 살아가는 엄마의 모습, 점심 끼니를 준비하기 위해 반찬을 준비하는 엄마 덕분에 나는 빠르게 글을 쓸 수 있었다. 포스팅도 하고 블로그에도 내 이야기의 글을 올렸는데, 어찌 더 조회수가 낮은 지.

(Bad)

1. 누수의 문제를 빨리 잡아야 목공 비용에 차질이 없다고 하는 담당자였다. 그건 우리도 잘 아는 문제지, 위층에서 협조를 잘 구해줘야 우리도 추가 비용 없이 리모델링 잘하는 게 좋은 거 아닌가. 말이 쉽지.

2. 그럼에도 불구하고 목공 추가 비용에 걱정이 극심했다. 엄마 아빠의 집이지만 한 평생 같이 살아온 우리 집인 만큼 걱정이 안 될 리가 없다. 적어도 이사 총괄 담당자 역할을 하고 있는 나니까. 리모델링만큼 자신했던 나로선 선택한 만큼 아쉬움이 클 수 밖에 없었다. 누수라니. 너무 열 받아! 스물아홉 번의 해에는 유독 가는 길마다 가시밭길인 것 같아서. 변수가 왜 이리 많은 지. 내 의지와 상관없이 말이야.

그래도 운동도 오랜만에 하고 가볍게 잠이 들었다

식단도 다시 조절해야 할 필요가 있다는 걸 새삼 느끼면서.

내 휴식이 없는 하루들

이거 맞아?

09.16

낯설고 소중한 것이 느껴진다

(Good)

1. 퇴사를 한다면 가장 먼저 하고 싶었던 일 중 하나가 내가 가장 소중한 사람들을 날 잡고 만나는 약속 말고, 내가 찾아가서 만나는 일을 하고 싶었다. 바빠서 시간을 내서 만나는 약속의 만남이 아니라 그냥 나 너 보고 싶어서 왔어, 하는 걸 하고 싶었다. 일명 만두팸, 고등학교 친구들이자 애정하는 친구 셋, 그리고 나를 포함한 구성원. 그중 가장 먼저 아기 엄마가 된 찐만두를 만나러, 찐만두가 근무하고 있는 광명 철산으로 달려갔다.

2. 찐만두는 당장 내가 가겠다는 연락임에도 불구하고 근처 고기 맛집이 있다며 데려갔다. 직원분이 고기를 구워 주고 된장찌개와 먹는 점심을 도란도란 함께했다. 둘이 함께하는 시간은 정말 오랜만이라 반갑기도 했고, 배도 부르고, 아기 엄마가 된 친구 배도 낯설고, 뱃속에 살아 숨쉬고 있을 아가도 소중한 것이 더욱 느껴졌다. 줄 수 있는 건 다 주고 싶을 정도로. 현실은 적은 비용일 테지만 아끼고 모아두었던 상품권 10만 원을 손에 쥐여 주는 것 밖에. 턱없이 부족하겠지만 진심으로 이 둘을 모두 사랑하고 아낀다고, 건강만 하기를 바랄 뿐이었다.

(Bad)

1. 비가 오려는 지 다리가 너무 아팠다. 혈액순환이 안되는 고질병.

2. 토리토리와 미래를 함께할 집, 결혼, 부모님 이야기를 주고받았다. 무게가 꽤 있는 이야기지만 꼭 해야 하는 대화 주제이기도 하니까. 본격적으로 우리 둘의 미래를 준비하기 위한 이야기를 주고받아 뜻 깊은 것 같다. 무사히 하나씩 처리해 나가면 좋겠다.

*찐만두 : 만두팸 일원

전문직업인 초청 특강

참가 종목 통계	비고
광고카피라이터(2반)	
광고카피라이터(2반)	
광고카피라이터(2반)	
광고카피라이터(2반)	
광고카피라이터(2반)	
광고카피라이터(2반)	
광고카피라이터(2반)	
광고카피라이터(2반)	
광고카피라이터(2반)	
광고카피라이터(2반)	
광고카피라이터(2반)	
광고카피라이터(2반)	
광고카피라이터(2반)	
광고카피라이터(2반)	
광고카피라이터(2반)	
광고카피라이터(2반)	
광고카피라이터(2반)	
광고카피라이터(2반)	

"선생님 감사합니다! 저 글 잘 쓸 자신감이 생겼어요!
저도 일기까지는 아니지만 하루에 안 좋았던 것 있으면
저만 아는 휴대폰 메모장에 욕 써두거든요!"

– 안성만정중학교 진로 체험 '카피라이터' 강의 끝난 후
고작 2시간 처음 함께한 나에게 와서 해준 말이었다
요즘 애들 무섭다고 누가 그랬냐 이리 초롱초롱한 걸

09.17

상황이 다 말해주니까

(Good)

1. 엄마 아빠와 함께 사는 본가에 이어 오빠도 독립 후 살아갈 집을 매매했다. 잔금 치르는 때를 맞이한 오늘, 오빠와 같이 부동산에 따라갔다. 뭣도 모르는 것 같으면서도 보고 배웠다. 무엇보다 하나부터 체크하는 오빠가 법무사 영수증 항목에 거품 낀 비용 하나하나 체크해서 알려주고 돌려받았다.

2. 다음에 집 살 때도 참고가 될 것 같다. 위층 누수 원인도 잡은 듯하다. 에어컨 배관 문제였던 것. 파이프관에서 이물질이 있어서 역류 문제로 새어 나와 누수가 된 것이라 했다. 누수는 새어 있는 물이 모두 나와야 하고 다 떨어지고 마를 때까지 기다려야 한다, 했다. 추석 후 누수가 멈춰 빠른 시공이 되었으면 하는 바람이다. 위층 분들은 사과를 해오셨다. 우리 또한 협조해 주신 덕에 원인을 알 수 있어 감사하다고 했다. 이 기쁜 소식을 리모델링 담당자에게도, 내 사랑 토리토리에게도 공유했다.

(Bad)

1. 우린 아직 느끼지 못한 것이 클 것이다. 작은 입장 차이로 서로의 말에 상처와 서운함을 안겼고 결과는 언제나 똑같이 내가 더 사과받으며 끝났다. 서운함에 울컥했고 내 사랑인 건 변함없는 이 사람의 전화를 서둘러 끊었다.

2. 생각이 많아졌다. 누구의 잘못이라기엔 상황이 다 말해주니까.

세상 참.. 인생 참... 호락호락하지 않다 정말 호랑나비

09.18

메롱

Good)

. 토리토리가 먼저 전화하기 전까지 연락하지 않고 보채지도 않았어. 그냥 내가 더 즐겁고 행복한 시간을 보내는 걸로 복수라 생각했어. 그게 나의 복수고 갚아줬다. 메롱. 이게 최고의 복수다.

2. 당일치기로 남양주 글램핑 여행을 떠나왔다. 오빠와 엄마랑. 계곡이 있는 곳을 원했던 엄마를 위해서였다. 당일치기였어도 계곡 위 텐트 안에 들어가 잠도 자고, 산속 바람도 쐬고 계곡물에 발도 담그고 고기와 라면도 먹고 이보다 더 행복한 시간 보낼 수는 없다는 듯, 푹 쉬는 하루였다.

Bad)

. 긴 항해를 끝내고, 2주 격리 해지 후에도 여전히 회복되지 않은 토리토리의 컨디션. 나와 시간 보내줘! 하며 보채지 않는다. 그저 기다릴 뿐.

2. 그 누구도 모른다. 항해사로서, 하루 이틀이 뭐야. 삼 사일동안 쪽잠 자면서 작업하는 항해사의 삶을. 그나마 건너 들었던, 가장 가까운 사람이라 취급하는 나는 조금 알 뿐이고. 서운함을 달랠 수 있는 유일한 이해심이었다.

세 번째 항해를 끝내고 돌아온 나의 루피,

토리토리는 9개월의 항해를 끝내고 육지로 돌아오면

육지 멀미를 하느라 한 달은 거뜬히 고생한다.

" 원양어선.. 타세요 ? 라는 질문을 제일 많이 받는 것 같아.

아무것도 모르면서 아는 척 해."

" 굉장히 세련된 직업인걸 모르네. 죽어도 모를 거야 아마도.

당사자가 아니면 말이야. 토 리토 리는 세상에서 가장 세련된 항해사네 이미! "

09,19

맵지만 맛있는 엄마 요리

Good)

1. 엄마와 함께 보낸 주말. 엄마는 아침 일찍부터 시장에 다녀와 곧장 요리한다. 참치 김치찌개와 닭볶음탕 국 요리 2개나 한다. 나에겐 맵고 짜지만 맛있는 엄마 요리.

2. 나를 위해 추석 반찬을 시장에서 사 왔다. 두부와 계란으로 단백질 보충 반찬도 해주는 엄마. 내 생각 뿐인 엄마.

Bad)

1. 컨디션이 좋지 않아 보이는 엄마 모습인데 말이야. 무리하고 있는 것 같아서 속상하다. 유방 수술 흔적으로 피멍이 번져 더 심해지는 건 아닌지 걱정이 이만저만이 아니다.

2. 또 하나의 고질병, 편도염. 목이 부어 병원 가서 주사 맞고 약 먹고 아무것도 하지 않고 쉬는 걸 아주 잘 소해 시켜주었다.

보호자는 바뀌었다.

영원할 것 같던 보호자가

내가 되는 순간

아— 이런 심정이었구나, 하는 걸

절실히 느낀다.

"엄마 글씨는 내가 태어났을 때나 지금이나 똑같네"

'나'의 환경은

사랑 가득한 사람들로 가득했구나

이것이 바로

'멈추면 비로소 보이는 것' 법칙인가

보다 더 주는 쪽이라 생각했던 '나'는

크나큰 착각 속에 살았다.

오만이었다.

DONT ASK.
DONT THINK
DONT GUESS

09.21

지은과 손잡고 선선한 거리를 걸으며

Good)

1. 9시 기상. 쾌변하고 천천히 준비해서 나와 오지 않는 버스는 기다리지 않고 다음 정류장까지 걸어가서 무사히 늦지 않게 기차 탑승까지 성공적. 서울 여행을 떠난다. 오랜만에 서울역으로 가는 기차를 타고 영등포역에 잠시 멈췄을 때, 대학교 시절 무거운 가방 메고 질세라 뛰어다녔던 내 모습이 재현되었다. 도착한 서울역에 나와서는 그리 울면서 출퇴근했던 병아리 인턴 시절의 내 모습이 재현되었다. 지금은 허허허.

2. SNS에서만 봤던 감성을, 이 좋은 가을 날씨에 지은과 손잡고 북촌 거리를 걸었다. 선선한 가을 날씨를 만끽했다. 이것이 진정 힐링이었다. 유명하다고 소문난 사진전도 사람이 많을 줄 알았는데 여유 있게 둘러보며 우리 둘의 사진 기록도 남기는 여유도 담았다. 무엇보다 오늘 사진전을 보고 온 후기, 나도 사진 잘 찍을 수 있을 것 같은 자신감을 한껏 얻고 왔다. 이 자신감 한껏 얻기까지 힐링 길 나란히 함께 한 지은이는 나의 키다리 나무였다. 불이 나 어쩔 줄 모르는 나 자신을 스스로 꺼질 수 있도록 선선한 바람을 맞아주는 키다리 나무.

Bad)

1. 거리가 먼 만큼 오는 거리도 역시 멀었지만 지은과 함께한 시간이 다소 부족했다고 느꼈을 정도로 집에 금방 도착한 느낌이었다. 행복하고 즐거워서, 토리토리와 연락을 많이 하지 못해 미안하기도 했다. 하지만 내 연락의 소중함을 느꼈을거라 생각해! 기다리는 사람도 당연히 기다리는 이유는 없어 토리토리야.

2. 추석 당일인 오늘, 생각치도 못한 사람들에게 안부 연락이 왔다. 괜스레 죄송한 마음까지 들어오기도 했다. 이 사람들은 이런 날, 내 생각 해준 고마운 인연이었는데 말이야. 난 그것도 모르고.

09.22

그런 것이 진정한 친구 관계

(Good)

1. 찐만두의 새 생명이 나오기까지 얼마남지 않은 시점, 왕만두 생일을 축하하는 자리인 겸 브런치 카페에 모여 오손도손 도란도란 오랜만에 만났다. 우리 넷 다 같이 만나는 자리는 진짜 오랜만인 것 같아서. 이젠 좋든 안 좋든 10년 동안 얼굴 봐온 친구들이라는 이유만으로 충분하다. 서운한 것은 말하고 털고 힘든 고민은 들어주고 기쁜 일은 함께 나눠 갖는 그런 것이 진정한 친구 관계가 아닐까 싶다.

2. 6시 이후 4명 모임 제한으로 집에 일찍 도착해서 씻고 나왔는데 엄마가 어제부터 장이 꼬여 복통을 호소하는 바람에 또 다시 병원 행이었다. 시골에 계신 할머니 대신해 아픈 엄마가 되어 약 처방을 받고, 이 약은 고스란히 할머니에게 전달되겠지. 집 근처 순대국밥집이 맛있어서 다행이지. 이 순대국밥만 먹으면 기운 솟아난 엄마 모습을 볼 수 있으니까.

(Bad)

1. 너무 많이 먹어서 소화가 안되는 것 같은 벙벙함. 감기약은 독한 나머지 위장을 딱딱하게 만드는 재주가 제법 좋다. 감당 불가.

2. 쉽사리 잠이 잘 들지 않아 잠들기까지 어려웠지만 그새 잠들었다.

사랑이 뭐라고 생각해?

푹 잠드는 걸 볼 때.

09.23

이쁘다. 나는 속상하다.

(Good)

1. 아침 8시 30분이 되기 전에 일찍 눈이 떠진 기상, 스타벅스에 들러 커피도 사들고 늦지 않게 토리토리 홀로 격리했던 오피스텔로 향해 달려갔고 그곳에 도착. 너무 오랜만에 보는 거라 설레기도 했다. 토리토리와 이 세상에 둘만 있는 것처럼 꽉 껴안았다. 껴안음의 힘이 얼마나 강한 지 이대로만 행복하게 잘 지내달라는 나의 소원이 들리기라도 할까 겁 날 정도였다.

2. 아주 멋진 드라이버 여자친구로 맹활약을 다함이 그지없었다. 갈 때는 아기 취급 받으며 토리토리가 운전해서 우리 집으로 향했고, 엄마는 토리토리를 위해 뼈해장국을 직접 요리하곤 기다리고 있었던 모양이었다. 나는 뼈해장국 대신 카레를 선택했지만 말이다. 너무 배고픈 상태에서 맛있는 걸 너무 많이 먹은 듯하기도 하고. 고생한 엄마 요리를 다행히 토리토리가 뚝딱 비웠다. 이쁘다. 나는 속상하다.

.

(Bad)

1. 엄마가 새벽부터 일어나 병원, 은행에 다녀와서 요리하고 고생한 걸 다 알기 때문에 속상할 수밖에 없었다. 토리토리가 엄마에게 현찰 선물을 주었다. 나는 이런 토리토리에게 현찰 대신 우리가 서로 떨어져 있는 동안, 그때그때 너 생각에 우리가 함께하면 좋을 옷, 신발, 차곡차곡 모아둔 선물들을 우르르 쏟아주었다.

2. 우리의 기념일은 연중행사나 다를 바 없을 것이다. 한번에 우르르.

09.24

그래. 좋았다면 그걸로 만족

〈Good〉

1. 토리토리가 우리집에 와서 나를 픽업했다. 푸름이와의 일정이 있던 나를 위해, 푸름이 집까지 데려다 주는 젠틀맨. 토리토리와 커피 마시면서 시작하는 하루가 이리 좋다니. 새삼 행복이란걸 다시 느껴보는 것 같기도 하고. 어머님께 우리 결혼 예정일을 포함해 계획에 대해 다 이야기 하고 왔다, 했다. 앞으로 진짜로 우리가 함께할 준비를 해야 한다는 게 실감 나기 시작했다. 그런 나를 안심이라도 시켜주는 듯 푸름이와 흩어지고 나를 다시 픽업하고 엄마를 위한 커피까지 사주고 이쁜 짓을 했다.

2. 푸름이 생일이라 한끼 식사와 케이크를 사고 푸름이 집 옥상 테라스에서 돗자리 펴고 삼각대를 설치해 우리 둘만의 파티를 벌였다. 퇴사 후 쓰는 나의 지출이 부담이 아예 없는 건 아니지만, 물질적인 것에 온전한 마음 그대로 담겨져 전달될지가 걱정되었다. 푸름이 생일 선물과 개업선물을 몽땅 준비해서 에라이! 오늘 행복 다 먹어라! 하나도 빠짐없이 남김없이! 빈틈 없이 꽉꽉 채워 주고 싶은 내 마음, 진심이 그대로 담겨 전해졌으면 좋겠다는 바람. 나에게 별 다른 표현은 없던 푸름이에게, 그래. 좋았다면 그걸로 만족하려 한다.

〈Bad〉

1. 겉으로 보이는, 내가 보고 아는 것만이 절대 전부가 아님을. 듣고 보니 사연이 있고 그 사연을 듣고 알기 전까지 이 친구에 대해 한 구석 어딘가 오해했을 응어리가 풀어지는 것 같았다. 이후에 보이는 것들은 모든 게 달랐다.

09.25

오래 기억하려 한다

(Good)

1. 오랜만에 요가하고 오니 확실히 다시 생기를 찾은 느낌이었다. 나를 돌보는 시간, 돌볼 줄 아는 시간, 이 시간을 오래 기억하려 한다.

2. 엄마와 김치를 담갔는데 처음으로 담그는 것을 해봤다. 퇴사 후 처음으로 해보는 것들이 많은 것 같아서 하루하루가 생소하게 느껴지기도 하고 신선하고 재미있기까지 하다. 이 모든 게 가능한 이유는 엄마가 내 옆에 있어서겠지, 캥거루족처럼 아직 엄마 뱃속 주머니 안에 들어가 나오지 않고 있어서겠지. 그럼에도 난 이 엄마 뱃속 주머니가 너무 따뜻해서 나오고 싶지 않아.

(Bad)

1. 너무 피곤하다. 고되다. 김치 담가서는 아니고.

소화가 잘 되지 않는 요즘이다

행복마저 날 질투하는 거니!

09.27

자꾸 속이 좋지 않아서 큰일이네

(Good)

1. 퇴사일이 며칠 남지 않은 오늘. 벌써 9월 마지막 주가 시작되었다. 왠지 컴퓨터를 하고 싶어 전원 ON, 입사 제안이 쌓여 있었다. 마케팅팀의 제안은 잠시 접어 두겠다. 마케팅으로서 일할 의지는 아직 없기 때문에. 천천히 회복하면서 다시 한번 살펴봤을 때, 그때의 온전히, 진심이 다 한다면 이력서와 포트폴리오가 뚝딱 고쳐지겠지.

2. 모닝 운동은 일어나기 싫은, 무거워 죽겠다는 몸뚱이를 끌고 나가는 힘이 제법 강했다. 수원천으로 걸어가 살짝쿵 러닝도 시도해본 운동을 마치고 와서 샤워하고 딱! 나오면, 상쾌함은 말해 뭐해. 좋아하는 음악을 들으며 샤워하는 시간을 갖는 것도 얼마 만인지. 대학생 시절 자취할 때 늘 음악 틀고 샤워했는데 말야. 좋아하는 음악과 함께하는 하루 시작은 기분 좋을 무언가가 없는 것도 생기게 할 것만 같은, 별안간 그런 힘이 있다.

(Bad)

1. 점심은 간단히, 클린하게 먹었다. 커피를 마시고 글쓰기 위해 컴퓨터를 켜고 글쓰기 시작했는데 이력서가 눈에 띄는 게 아닌가. 하나씩 고치려니 시간 꽤 잡아먹을 것 같고. 성과 하나하나 찾기가 벅차니 큰일이겠지.

2. 　토리토리가 꽉 체했다. 아무래도 꽉 채운 한상 차림 때문이려나. 배 안에선 이런 꽉 찬 끼니를 먹을 일이 거의 없으니까. 엄마는 괜스레 미안하다고 사과를 건네고 있었다. 토리토리는 행복한 아픔이라며 더 해달라고 알랑방귀를 뀌었다. 아파서 날 만나러 오지도 못했으면서. 죽 먹고 푹 쉬고 있다고 하는 토리토리, 자꾸 속이 좋지 않다고 해서 큰일이다. 나만 속이 좋지 않은 줄 알았는데. 이런 것도 닮았네 우린. 닮아야 할 걸 닮으면 좋으려만.

09.28

오만원을 보내왔다

(Good)

1. 아침 8시, 요가 수업에 늦지 않게 도착해서 운동 클리어! 아침 요가라 힘든 동작은 없었고 단순히 근육을 풀어주는 듯하면서도 코어 근육을 단단히 만들어주는 운동, 모든 긴장을 완화해주는 사바사나 자세까지 완벽한 심신 안정 힐링 운동을 취하고 왔다. 그다음 루틴은 바로 글쓰기. 12시까지 글쓰기를 하고 토리토리가 일어나 나에게 영상통화를 걸려 오면 자연스레 쉬는 시간이 되는 것이다.

2. 정은이를 만나는 약속 일정이 있던 오늘, 토리토리가 오랜만에 정은이 만나는 것 만큼 맛있는 것 아끼지 않고 사 먹으라고 오만원을 보내왔다. 고마움과 미안함이 공존했다. 정은이와 같이 먹은 음식을 사진 찍어 공유해줬는데 맛있겠다고 부럽다고 하는 토리토리, 더 미안하게 왜 그런 말을 한 거야. 받지 않겠다고 끝까지 버틸 걸 그랬나, 했지만 마지막이라고 선물해줬던 토리토리였다.

(Bad)

1. 정은이와 오랜만에 만나서 시간 가는 줄 모르고 수다쟁이 모드로 완전히 몰입했다. 정자동 카페 브런치를 찾아갔던 우리, 맛있어도 너무 맛있어서 화가 났다. 더 들어갈 배가 없어 남긴 게 자기 전에 생각날 정도였다. 전형적인 돼지가 맞나 보다. 먹고 싶어 했던 토리토리와 꼭 와야겠다고 다짐했다.

2. 비가 계속 찔끔찔끔 왔다. 우산을 들고 가지 못해 비를 계속 맞고 다닌 탓에 집으로 돌아오자마자 샤워부터 갈겼다. 머리카락이 수백 개 정돈 빠진 것 같다 젠장할.

한 쪽 팔 다

젖어주는 남자 또

찾을 수 있겠어?

09,29

우리 가족

(Good)

1. 이른 아침부터 우리 집으로 건너온 토리토리. 늦은 저녁까지, 하루의 시작과 끝을 함께해서, 나를 보고 가서, 토리토리를 볼 수 있어서 좋았다. 나는 글을 쓰고, 글쓰는 동안 토리토리는 옆에서 잠을 청했다. 이럴 거면 왜 왔지, 가 아니라 원없이 글쓰는 동안에 옆에 곤히 자고 있는 토리토리마저도 좋아서. 그 와중에 엄마가 해준 죽도 맛있게 먹고 다행히 속도 나아지는 걸 확인하니 좋았다.

2. 우리 가족이 준비한 서프라이즈, 이번 배도 무사히 건강하게 항해하고 돌아온 기념으로 토리토리가 좋아하는 갈비를 사주기 위해 단골 갈비집으로 같이 향했다. 엄마, 아빠, 오빠, 그리고 나와 토리토리. 토리토리도 이제 우리 가족이다. 원래 우리 가족이 될 상이었던가.

(Bad)

1. 갈비 파티를 거하게 채우고 이사 집을 향해 다 같이 걸어왔다. 시공 현장에 토리토리와 처음으로 와본 것이다. 토리토리가 제법 리모델링된 이삿집을 보고 많이 예쁘다고 칭찬해주었다. 리모델링의 처음과 끝까지 책임지고 있는 내 어깨를 토닥여주듯. 격려해주듯. 이사가 이렇게 힘든 일인지 가늠조차 할 수 없는 정도였다. 이사는 정말 큰맘 먹어야만 할 수 있는 일이란 걸 뼈저리게 느꼈다.

2. 누수가 얼른 소멸하였으면 좋겠어. 비까지 왔다 갔다 하고.

정말 바쁜 하루의 연속,

백수인데 바쁘다

이 세상 제일 바쁜 백수 나야나

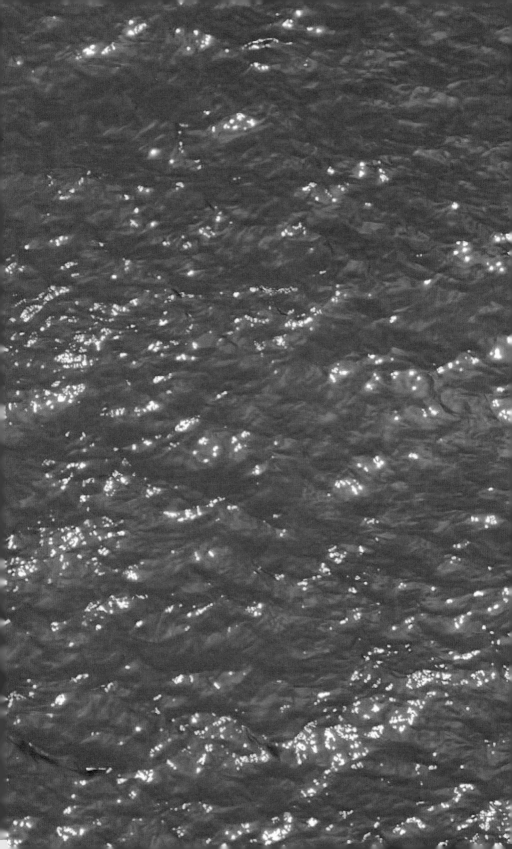

09.30

잔치국수와 비빔국수

Good)

. 토리토리가 10시 반 넘어 일어나 준비하고 우리 집에 열두시 넘은 시간 쯤에 도착했다. 딱 점심시간에 도착. 엄마는 토리토리가 좋아하는 비빔국수를 만들어주려고 분주하기 시작했고, 토리토리는 그 옆에서 배에서 해 먹어보겠다며 레시피를 받아 적고 있었다. 그 둘의 모습이 어찌나 예쁘던지. 엄마와 토리토리는 비빔국수를, 나는 잔치국수를 먹었다. 터질 듯한 우리 배 셋. 다행히 비움의 시간을 가져서 망정이지. 집으로 돌아가는 토리토리는 방광을 부여잡고 가느라 애먹었다고 한다. 웃겨 죽어.

. 나와 공부하기로 약속했었다 분명. 그런데 계속 옆에서 괴롭히기만 하고 장난치기만 하는 토리토리였다. 이것은 분명 고통이 맞는 일. 나를 힘들게 했어. 어지러울 정도였다. 10분 정도 책을 읽었나 몰라. 나머진 잠을 자는 토리토리. 잠에서 깨서는 유튜브를 보는 토리토리. 나에게 스테이씨를 아냐고 물었다. 왠만한 아이돌 신곡은 다 꿰고 있기 때문에 모르지 않던 나였다. 이 문제는 둘째 치고, 겨우 일으켜서 산책하고 돌아온 우리. 그래도 산책이라도 하고 오니 기분이 나아졌다.

Bad)

. 원래 저녁을 먹지 않는 나인데, 피자까지 먹었다. 오빠는 무려 5조각이나 먹고. 토리토리, 나, 엄마는 각각 2조각 씩 먹고.

. 포트폴리오 진척이 느리다. 난 무엇을 위해 이리 바삐 만들고 있는가. 무엇을 얻기 위한 노력인가. 여전히 머릿속을 헤집고 다니는 질문이다.

고통을 온전히 느낄 수 있는 것 같아

단정짓지 않고 회피하지 않고

고통의 원인을 정확히 바라볼 줄 알아

'나 혼자'였던 적이 없었어. 그러고 보니

10,01

어른은 역시 어렵다

Good)

1. 토리토리가 오늘도 이른 아침부터 날 보러 우리 집으로 들어왔다. 토리토리는 왔어도 나는 내 갈 길을 갔다. 10시 30분 요가 수업에 늦지 않게 도착했는데 문이 닫혀 있었다. 오, 이런 당황스러운 일이. 원장님께 카톡을 남기면서 다시 집으로 돌아오는 길, 스타벅스에 들려서 블론드 커피와 오빠가 좋아하는 콜드 브루 커피도 같이 사 왔다.

2. 오후에는 포트폴리오 작업에 집중해서 할 수 있을 거라 생각했던 건 크나큰 오만이었다. 토리토리가 옆에 있으니 집중은 커녕 진척조차 되질 않는다. 그냥 토리토리와 같이 커플 폰으로 맞추기 위해 휴대폰이나 알아보러 나왔다. 아이폰 13, 아이폰 13프로를 사전 예약하고 왔다. 이제 부모님과 같이 가지 않고 예비 신랑과 함께 휴대폰을 알아보러 가다니, 제법 어른이 되어가는 기분이 든다.

3. 날카롭게 나오는 것만이 세상의 이치도 아닐뿐더러 나 자신에게 도움이 되지 않는 걸 요즘 느끼는 것 같다. 상대의 잘못에 무작정 질타하고 지적하기보다 한걸음 뒤로 물러나 바라볼 줄 아는 것. 여유 있게 대처하는 것을 배워야 겠다. 어른은 역시 어렵다.

(Bad)

1. 화를 너무 습관처럼 내는 오빠의 모습에 너무 화가 났다. 좀 더 어른처럼 대처해야 하는 거 아닌가, 싶은데. 자기 기분대로 하는 게 열 받았다. 내가 저랬을까 싶기도 하고. 오빠도 처음이니까 어렵겠지, 나처럼.

2. 포트폴리오는 토리토리가 다시 집으로 돌아간 후부터 달리기 시작해 자정이 돼서야 끝냈다. 장시간 끊임없이 달렸다. 포트폴리오는 무조건 담당자가 보고 싶어 하는 걸 우선으로 보여줄 것! 핵심을 무엇으로 잡냐가 중요하다!

카피라이터 포트폴리오를 마감했다

다시 일을 시작하는 게 맞을 지 고민이지만

10.06

엽떡을 사주면서 진지하게

《Good)

1. 엄마와 토리토리랑 삼계탕을 먹었다. 삼계탕을 먹기 전에 엄마와 아빠 다투는 모습에 지쳐 기분이 좋지 않았다. 둘이 다투는데 피해는 왜 내가 받아야 하는 지, 아홉수를 맞이한 어른이 된 나는 엄마와 아빠에겐 여전히 어린 애에 불과한가 보다. 애써 토리토리 앞에서 최대한 분노를 삭혀 보이는 엄마의 모습이 안쓰럽기까지 하다. 다 나를 위한 노력임을 알면서도.

2. 이사 집에 놓을 새로운 가전들을 사러 토리토리가 동행해주었다. 인테리어 가구도 같이 보러 가고 여러 군데 돌아다니는 동안에도 군말 하나 하지 않고 제법 아들 같은 토리토리였다. 엄마는 토리토리 덕분에 웃는 듯 하다. 고마운 게 더 많은 토리토리, 이런 착한 천사에게 나는 서운한 걸 터뜨려버렸다. 생리 이틀째라 그런가, 하는 핑계로는 부족했나 보다. 엄마와 셋의 일정이 끝난 후 저녁엔 우리 둘만의 시간, 영화 데이트를 왔는데 오는 동안 나의 쿠사리가 많긴 했다. 내가 선물한 아노락 옷을 한 번도 입지 않으니 적정 계절임에도 똑같은 옷만 입고 오니, 속상함이 더 컸던 이유였는데.

3. 이런 나의 서운함을 알면서도 나 보러 오기 바빴다는 핑계를 대니. 더 솔직하게 말하자면 옷은 둘째고 예전부터 했던 나의 말을 들어주지 않았다는 것에서 쌓이고 쌓이다 터져버린 것이 더 크겠다. 토리토리는 그런 나에게 엽떡을 사주면서 진지하게 사과했고 나는 단순히 풀렸다. 영화도 토리토리가 보고 싶어하는 영화로 결정했다.

《Bad)

1. 집에 오니 엄마가 기운이 빠져 있었다. 오빠 때문에 기분이 안 좋아 보였다. 내가 들어왔을 때 이 집의 공간에 엄마와 오빠 둘 뿐이었으니까.

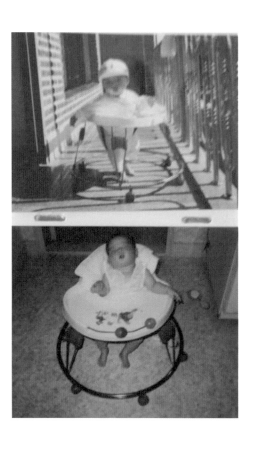

10,08

과연 나도 그럴 수 있을까

(Good)

1. 아침 7시가 되기도 전에 일어났다. 입주 청소하시는 분들 굉장히 부지런하시다. 이사집 입주청소 하는 날이라 엄마와 나는 부리나케 방문했다. 시공하느라 벽지가 더러워진 곳들이 있었는데 그런 부분들 포함해서 구석구석 잘 청소 부탁드린다고 인사하고 돌아왔다가, 청소 끝났다는 연락 받고 설레는 마음 가득 안고 갔더니 제대로 되어 있지 않아서 설렘은 커녕 불쾌함이 생겨 버리고 말았다. 토리토리가 동행해주었는데 나 대신 고생 많으셨다고, 인사를 건네고 날 대신하는 모습에 위로 아닌 위로를 받았다.

2. 입주 청소도, 리모델링 된 벽지 타일도 모두 마음에 들지 않는 상태가 되어버린 것. 담당자에게 분명히 전해야 했었다. 깐깐할 수도 있는 나 같은 진상 고객의 컴플레인을 받았어도 끝까지 웃음 잃지 않고 협조적으로 나와주셨던 담당자님. 나와 비슷한 또래로 보이는 분이었는데 나에게 없는 긍정적인 파워를 가지고 있어 빛나 보였다. 끝까지 최선을 다하는 모습에 감명 깊었고, 차분하게 체크하는 모습들이 멋있었다. 내가 만약 담당자였다면 과연 그럴 수 있을까 싶었다.

(Bad)

1. 토리토리가 동행해줘서 골랐던 가전 중 하나 냉장고가 들어오는 날이기도 했던 오늘. 냉장고에 설레하던 엄마의 모습이 선명했다. 분명 측정도 제대로 하고 담당자에게 공유해서 공간 마련도 충분하다고 생각했는데, 양문형 냉장고였던 이 냉장고가 힘들게 집까지 들어왔음에도 다시 내보내야 하는 상황이 되어 버렸다. 그만 속상해서 울어버렸다. 다행히 곧장 일반형 냉장고를 보고 바꿨고 뜻밖에 김치냉장고를 하나 더 살 새로운 기회까지 얻었다. 잘 풀려서 다행이다

"이기주의적이고 자기중심적이네

불 성향이라 그래. 너의 불이 좀 사그라지려면

여행 갈 때 물 쪽으로 가는 게 더 좋을 것 같아

그래야 식혀지니까"

— 신점 선생님께서 3년째 변함없이 나에게 해온 말이다

10.11

과거는 과거로 잘라내 묻어두는 것

(Good)

1. 오빠와 같이 늦잠 자고 일어나 어영부영, 하다 이번엔 내가 토리토리 데리러 안양에 갔다. 오랜만에 운전하는 것 같아 기분도 왠지 좋은 것 같았고. 왜 죄다 가는 길마다 공사하는 길인지 험난함의 연속이라니, 하면서도 도착 후 마주한 토리토리를 보면 싹 내려가는 매직. 토리토리는 여전히 운전석에서 나를 내리게 하고 자신이 운전하는 걸 택한다. 내 차 바퀴 공기가 빠져 센터에 들려 주입시키고 우리집으로 향하는 길, 서브웨이 샌드위치 하나만 사 들고 정확히 반으로 나눠 먹으며 향했다.

2. 미용실 마지막 예약자가 우리였나보다. 태어나서 한 번도 어깨 위로 단발로 잘라본 적 없었는데 토리토리가 그렇게 열망하는 짧은 단발을 과감히 실행해보기로 결심했다. 토리토리도 옆에서 커트와 펌을 말고 있고. 막상 자르고 나니 머리가 없는 기분이랄까. 날아갈 것 같은 가벼움. 이제서야 모든 게 끝이 났다는 걸 실감한다. 과거는 과거로 잘라내 묻어두는 것.

(Bad)

1. 아빠와 오빠가. 토리토리가 있는 곳에서 무례한 행동을 막무가내로 보이는 게 걱정이 몰려왔다. 토리토리가 이런 문화를 보고 나에게 그대로 영향이 올 수 있진 않을까 하고. 둘 다 마음에 들지 않는다.

2. 퇴근할 시간이 훨씬 넘었는데도 돌아오지 않은 엄마. 병원에 가서 한참 후에 돌아왔다. 아무래도 수액을 맞고 온 모양이었고, 다행히 조금은 나아 보였지만 확실히 체력이 약해지는 게 보였다.

백 명이 한 번 먹는 음식보다
한 명이 백 번 먹는 음식을
만들고 싶다

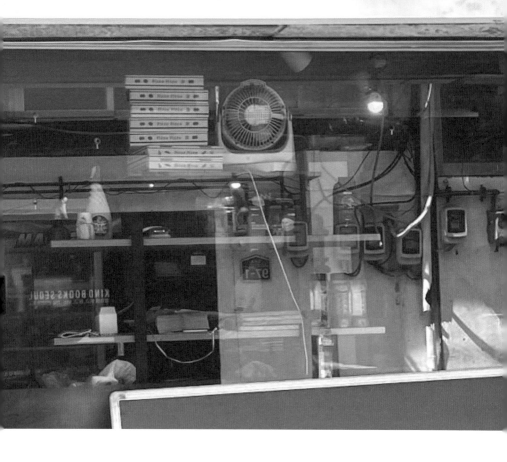

10.12

할 수 있는 일, 해줄 수 있는 일

(Good)

1. 엄마랑 둘이서 도란도란 하루를 보냈다. 아침에 커피를 마시면서 일기를 기록해두고 글을 썼다. 그 이후론 소파가 들어와서 앉아보고. 점심엔 배가 별로 고프지 않아 떡으로 끼니를 때우다 나머지 가전 가구도 보고 4~5시 돼서야 엄마가 좋아하는 칼국수를 먹으러 갔다. 포장해온 만두는 저녁 늦게 약을 먹기 위해 끼니용으로 대체해서 먹는 엄마 덕분에 싹쓰리 되었다.

2. 시간이 많아지니 내가 할 수 있는 일, 해줄 수 있는 일들이 많아졌다. 엄마는 이럴 때, 내가 같이 있고, 함께할 수 있어서 좋다고 했다. 그 말에 나 또한 덩달아 행복해졌다. 이러니 일하기가 더더욱 싫어지지. 현실을 생각하면 이러면 안 되려나 싶지만.

Bad)

. 누수가 아직도 진행이니 마음이 너무 좋지 않다. 내일은 대책이 세워져서 해결되기를.

2. 토리토리가 백신을 맞고 고열까지 올라 수액을 맞았다고 한다. 면역력이 많이 떨어진 탓일까. 포진도 생겼다는 말까지 해왔다. 우리 아직 한창 젊은 나이인데 포진이 웬 말이야. 속상하다. 쉬고 쉬는 게 약이고 보약이다.

영화 속 주인공이 아니어도

영화 주인공처럼 사는 것도 꽤 간지 나잖아?

게미머는 죽어서
미니셀을 남긴다

책을 파는 문방구

여는곳

해방촌 신흥시장

콤콤문방구

공간이 작을수록
사이는 더 가까워지는
마법의 시간

10.13

고치는 사람은 따로 있는지

(Good)

1. 일어난 후로 쉴 새 없이 이삿짐 옮기고 정신 없는 하루를 보냈다. 엄마가 좋아하는 커피를 사 들고 이사 집으로 건너가 몇 번이나 짐정리를 하고 헹거 서랍장 설치도 대충 끝내고 오기까지. 토리토리가 어제보다 오늘, 다행히 나아져 보여 안심이었다. 다이소까지 같이 갔다가 집에도 같이 가고 헹거 설치까지 도와주는 토리토리에게 고마운 하루였다. 내 생각, 엄마 아빠 생각까지 배려 깊은 모습에 감동 받은 하루였다. 고마워서 나이키 세트로 옷 한 벌, 아니 두 벌 커플로 맞춰버렸다.

(Bad)

1. 내일 오빠가 출장 다녀오는 날, 에 맞춰 매운 등갈비 맛집에서 주문해서 같이 먹으려고 했는데 일정이 맞지 않아 틀어졌다. 할 수 없지. 나도 안 먹어. 토리토리랑 엄마 오빠가 좋아하니 같이 먹는 거지. 나 한테 성질내면 다인 줄 아나.

2. 꽤나 체력 소비가 심했다. 아침에 두통약까지 먹기도. 아침이 아니고 저녁인가. 잘 놓여져 있는 냉장고를 갑자기 빼고 들이고 난리 피우는 엄마 아빠, 그러는 바람에 결국 옆 벽지가 살짝 까져버렸다. 짜증이 머리끝까지 올라왔다. 순간접착제로 다시 고쳤지만, 열불이 나서 참을 수가 없었다. 왜 다들 어지럽히고 고치는 사람은 따로 있는지 모르겠네.

이렇게 다른 두 사람이 어떻게 만나서

나와 오빠를 낳고 살았을까?

10.14

이런 바쁜 백수를 보았나

(Good)

1. 버선발로 아침부터 달려와준 토리토리. 내 일같이 생각해주는 토리토리 덕분에
    아침에 일어나 실업급여 신청하기 전 준비 단계에 대해 알아보고 영상도 보고
    클리어 했다. 영상을 본 후 고용센터에 같이 와준 토리토리. 외롭지 않게, 쓸쓸
    하지 않게, 따뜻하고 든든하게 자리를 채워주고 곁을 지켜줘서 너무나도 감사
    하다. 덕분에 잘 신청하고 1차 실업 인정일을 기다릴 수 있게 되었다.

2. 집으로 돌아오는 길, 우리가 좋아하는 서브웨이 샌드위치와 스타벅스 커피를
    사서 점심 끼니를 해결했다. 김밥도 덤으로 먹고. 점심을 먹고 나서 본격적으로
    헹거를 설치하기 시작했다. 생각보다 힘든 여정이라 놀랐다. 그럼에도 짜증 한
    번 내지 않고 잘 만들고, 모두 설치까지 끝낸 토리토리. 이 사람과의 미래에 걱
    정 한 시름 놓을 수 있는 안심도. 결국 매운 등갈비 맛집에 들러 주문 한 음식
    을 픽업하고 집으로 가져와 다같이 맛있게 먹었다. 매운 등갈비 비용도 맵기까
    지 하니, 토리토리는 오랜만에 먹는 거니까 괜찮아.

(Bad)

1. 헹거 설치하고 온 우리 둘, 집에 왔는데도 끊임없이 정리하고 있는 엄마를 거
    들어 짐 정리를 도우니 힘들었다. 이런 바쁜 백수를 보았나.

그래! 우리가 동방신기고! 소시 세대 맞는데!

뉴진스, 아이브 좋아해 우리도! 93년생 동갑내기들 공감?

10.15

오래오래 살았으면

(Good)

1. 대망의 이사 날. 아침 7시 50분에 딱 맞춰 일어나서 준비하는데 이삿짐센터 분들도 딱 맞춰 오셔서 우르르 초스피드 정리하기 시작했다. 잠이 덜 깬 상태로 짐 정리하느라 정신이 하나도 없었다. 이사 날이 장날이라더니 비가 오더라. 왠지 더 잘 풀릴 것 같은 느낌이다. 마음이 더 편안해진다.

2. 이사 집으로 이동한 후부터는 더 정신없이 움직였다. 이젠 이사 집이 아니라 진짜 우리 집이라고 하는 게 맞겠지. 이삿짐센터 분들은 정말 큰 짐을 옮겨주기만 하고 작은 짐들까지 정리하는 범위는 아니었나 보다. 각자 방에 놓여야 하는 짐들 위치까지도 생각하고 신경 쓰면서 옮겨달라고 말해줘야 했고 나는 지휘자가 된 것처럼 진두지휘 아래 작은 짐들 정리도 착착. 머리가 쥐 나는 느낌. 몸살 나기 전 상태까지 겪은 듯하다. 마치 8월 폭염의 날씨 속에서 25시간 광고 촬영했던 때와 같았다.

(Bad)

1. 다행히도 무사히 이사를 마쳤다. 짐은 어디서부터 정리해야 할지 막막했다. 엄마가 없는 이사 날, 아빠가 있었지만, 집안 살림이라곤 노 신경이셨던 사람이기에 도움 될 리가. 혼자서 다 하는 느낌이랄까. 죽을 것 같다. 하는 중에 엄마가 퇴근 후 돌아와 수고했다며 나를 가득 안아주었다. 요양보호 일도 힘들었을 텐데 돌아오자마자 부엌, 창고, 정리되어야 하는 곳곳마다 정리 스타트였다.

2. 토리토리가 이사 날 이른 아침부터 달려와 도와주러 왔다가 컨디션이 좋지 않아 온 지 한 시간도 되지 않은 채 집으로 돌아갔다. 마음이 좋지 않아 화가 났다. 가장 큰 긍정 에너지 영향을 주는 토리토리가 아파서, 의지할 데라곤 나 홀로 남아 있는 것 같아서. 몸과 마음이 둘 다 힘든 하루였다.

엄마가 없는 이삿날. 이 집안의 큰일은 혼자 짊어지고 책임져온 엄마의 빈자리가 오

늘따라 더 크게 느껴졌다. 엄마가 오

래오래 살았으면 하는 뜨거운 눈시울

이 핑 돌아 버린다. 내 옆에서 함께 오

랫동안 같이 있으면 좋겠다는 바람이

마음껏 불어왔으면 좋겠다. 엄마와

나 사이에서 힘껏 쳐왔으면 좋겠어.

큰일을 치렀던 나 자신은 정말 어른

이 된 것 같았다. 이런 게 어른이라면

되고 싶지 않다. 엄마 옆에 어리광 부

리고 솔직한 감정 드러내며 나자체로

살아갈 수 있게 초원 위 마음껏 풀 뜯

어 먹으며 자유롭게 영유하는 양처

럼. 내가 하고 싶은 일, 하고자 하는

일 '나'의 삶을 살 수 있게 무조건으로

무제한으로 지원해주는 엄마 사랑 평

생 받는 어린 아이로 살고 싶어 졌다.

좋아요 69개

yuhee_book 회전목마를 타는 아이들을
바라본 적 있는가.
아니면 땅바닥에 떨어지는 빗방울 소리에
귀 기울인 적 있는가.

펄럭이며 날아가는 나비를 뒤따라간 적은
저물어 가는 태양빛을 지켜본 적은

속도를 늦추라.
너무 빨리 춤추지 말라.
시간은 짧고,
음악은 머지않아 끝날 테니.

데이비드L.웨더포드, 더 느리게 춤추라 중
#마음챙김의시 #류시화 #수오서재 #시집 #책추천

"어렸을 때 사진에는

왜 엄마와 나 같이

찍은 사진이 없어?"

"시골에서 서울로 올라와 엄

마는 친구가 없으니까.

엄마 친구는 딸이야"

10.16

조급하지 말기

(Good)

1. 쓰지 않던 내 방에 모셔둔, TV 모니터와 같이 딸려온 통신사 TV 셋톱박스. 이사 온 집 TV에 연결하기 위해 셋톱박스를 그리 찾았는데, 없더니. 오늘 쉬는 날이었던 엄마와 같이 창고에 이삿짐센터 분들께서 처음에 막 쑤셔서 넣었던 짐들을 죄다 다시 꺼내고, 바깥으로 버릴 것들 버리고 오다 결국 미궁의 박스를 발견, 셋톱박스 찾았다. 이게 뭐라고 엄마와 나는 그리 기쁘게 웃었던지. 우리 둘이서 창고 정리와 신발 정리까지 마쳤다. 쓰레기 한 트럭 수준. 그래도 정리가 된 집을 보니 숨통이 트였다.

2. 역시 이 집의 해결사 우리 엄마. 없으면 안 될 절대적인 존재. 나에겐 더더욱. 변함없는 절대적 강자.

(Bad)

1. 토리토리가 38도까지, 고열로 병원 가서 또 수액을 맞았다고 한다. 하다못해 코로나 검사까지 받았다고 한다. 백신 주사 맞고 더 아픈 것 같아 속상할 따름이다. 건강한 사람이 올해는 영 건강하지 않은 것 같아서. 한약을 지어 먹이든가 해야지.

2. 정작 내 방 정리를 하지 못해서 걱정. 과는 달리 아무것도 하기 싫은 건 어쩔 수 없는 거겠지.

"

난 어느정도 여백과 공백의 미가

꽤 우아하다고 생각해

"

한꺼번에 모두 해결할 필욘 없어.

조급하지 말기.

마음 가는 대로 하기.

쉽지 않지만 놓아보기.

나 자신을 위해

나 자신을 정확히 바라보기. :)

문득 든 생각인데 여행할 때 왜 그렇게 좋나 했더니

하늘을 자주 볼 수 있어서 좋았던 것 같아

익숙한 풍경도 이 하늘 새이면 뭔들 예쁘지 않겠나

분명 같은 하늘 아래에 살고 있던 나였을 텐데

이제 제법 나를 아는 것 같아. 어떤 눈을 가졌는지도.

결국 몸살

몸 서리 치며

10.19

백수라 진짜 좋았던 일

(Good)

1. 백신 2차 접종 일이었다. 오전 8시 30분. 잠 깨보니. 토리토리랑 어김없이 모닝 통화에 함박웃음. 이리저리 이야기하며 하룰 시작하는 게 좋다. 머리 감고 옷 입고 이것저것 챙겨 먹고. 머리를 덜 말린 채 나가 병원에 도착. 글쎄 신분증을 챙겨오지 않아 다시 집에 들러, 신분증 챙기고 또다시 병원행. 1차 접종 때와 같이 접종 후 바로 집으로 가지 않는다. 15분 동안 앉아 경과를 지켜보고 괜찮으면 집으로 가는 자의적인 선택. 다행히도 나는 그때와 같은 상태라 집으로 돌아올 수 있었다.

2. 점심시간이 좀 지나 토리토리가 햄버거를 사와 같이 먹었다. 어쩌면 홀로 있는 이 시간이. 토리토리 덕분에 외롭지 않게 행복한 시간으로 채워지는지 모른다. 다행이다. 이 시간을 함께 보낼 수 있는 사람이 있고, 그 사람이 토리토리라서. 시간이 지날수록 선명해진다.

(Bad)

1. 백신 접종 후 몸 상태가 영 좋지 않았다. 두통 증상이 심해져 타이레놀을 먹고 그렇게 누웠는데 그대로 잠이 들었다. 이래도 되나, 싶지만. 이런 라이프, 이런 일상이 아직 익숙지 않다는 걸 놀라워해야하나. 6~7년 동안 베인 습관은 남 주지도 못하지. 처음으로 백수라 너무 좋았던 일. 자고 싶으면 그대로 잘 수 있어서. 새삼 깨달으며 행복했다. 이 시간을 좀 즐겨도 되는 거겠지.

2. 토리토리와 같이 입을 커플 옷을 하나 더 장만하고자 옷을 하나 더 구입했다. 돈은 언제나 걱정. 20대 마지막인 만큼 후회 없이 보내기 위해. 곧 어머님 뵐 준비. 단단히 마음먹고 구입한 거다. 후회하지 않아.

10.20

행복할 권리. 편안할 권리.

(Good)

1. 백신 2차 접종 후 다음 날을 맞이한 오늘이다. 일어나자 마자 내 컨디션을 체크하며 일어나려 발버둥 쳤으나 잠시 깨어나다 다시 잠이 들었다. 그렇게 푹 자고 일어나니 다행히 아픈 곳 없이 멀쩡했다. 미뤄두었던 글을 재개. 나의 글 하나하나가 누군가에게 위로와 영감이 될 수 있는 사실을 깨닫는다. 아무도 읽지 않은 때도 있고. 특히 많이 읽은 날도 있지만. 양은 중요하지 않았다. 한 명이라도 뜻 깊었다면. 그것으로 의미 있다.

2. 나의 컨디션과는 달리 엄마 컨디션에 빨간 불이 켜졌다. 좋지 않은 관계로 반찬, 요리하는 엄마의 열정은 오늘은 잿더미다. 하나도 손대지 못할 위치. 토리토리가 엄마에게 용돈으로 주었던 돈을 어느새 그렇게 차곡차곡 모아두고 쓰질 않았던지. 이러려고 모아뒀다고 하나 뭐라나. 수액을 맞고 돌아온 엄마. 여전히 안색은 좋아 보이지 않았지만, 식욕을 되찾고 활발해진 엄마 모습을 보고서야 안심이 된다.

(Bad)

1. 다시 내 시간을 가지려니 모든 게 귀찮아진다. 하루쯤은 나를 아무개로 놓아도 되었다. 세상 안 무너져. 이것이 지금 나에게 즐길 수 있는 휴식. 특권이고 보상. 행복할 권리. 편안할 권리. 하지만 나태해지지는 말자.

2. 상견례 날짜도 불명확하면서, 고대하며 구입했던 옷이 집으로 총알 배송왔다. 토리토리가 보는 곳에서 곧바로 착장했는데 글쎄, 뱃살이 너무 도드라졌다. 살을 빼고 핏을 만드는 게 정답인 걸 그 누구라도 잘 아는 정답일 테지만, 다른 정답도 있어. 중복 답안. 보정 속옷을 사서 입으면 되지. 오늘부터 탄수화물 끊는다.

10.21

애교쟁이

(Good)

1. 오전 8시 기상. 밀물과 썰물이 몰아치듯 잠은 계속 몰라왔지만 어떻게든 깨어 나려 뒤척거렸지만 결국 1시간을 뒤척거렸나, 9시에 뉴스를 보며 여유롭게 시 작하는 걸 택했다. 늦게까지 잔 건 아니지만 개운하게 시작하는 느낌. 집 전화 기 해지를 위해 통신사에 전화를 걸면서 스피커폰으로 해둔 아빠 덕분에 정신 없었던 것만 빼고.

2. 토리토리와 오빠랑 셋이 점심으로 삼겹살 구워 맛있게 먹었다. 제법 많은 양이 라 생각했는데 이 두 남정네가 다 먹었다. 진짜 잘 먹었다. 토리토리가 우리 집 신발장 여분을 조립해서 만들어 주었다. 이 집에 오빠, 아빠 남정네 둘이나 있 어도 토리토리가 도와주고 있으니 비교되는 장면이었다. 토리토리가 더 예뻐 죽 겠다. 엄마 퇴근 시간에 맞춰 마중도 같이 가고 나 대신해 엄마 팔짱을 끼고 가 는 토리토리. 애교쟁이다. 예뻐. 그 누구 이렇게 할 수 있을까.

(Bad)

1. 토리토리에게 잔소리도 많이 하고 아빠의 안 좋은, 싫은 소리만 많이 하는 것 같아서. 안 하려고 해도 나도 모르게 하는 것 같아서. 괜히 부담만 주는 것 같 아 마음이 불편하다.

번개처럼 잠깐 반짝였다

10.26

3,000원 짜리 국수

(Good)

1. 매일 하던 조깅을 오늘은 패스. 엄마와 시장 갈 채비를 마쳤다. 엄마는 나보다 먼저 한의원에 도착해 손가락 마디마디 염증이 곪아 휘어져 버린, 연골이 닳아 삐그덕거리는 무릎, 뭉쳐있는 어깨 곳곳에 침 치료를 받으러 먼저 나갔다. 바로 옆 카페에 가서 얼어 죽어도 마시는 아이스아메리카노를 홀짝이다 치료를 마치고 돌아온 엄마가 합석하면, 활기차게 시작할 수 있을 것 같은 무한 긍정 에너지가 솟아올랐다.

2. 은행, 시장, 다이소까지 여러 군데를 들리면서 배변 활동을 적극적으로 비워낼 수 있었다. 엄마와 장본 짐을 담아 끌고 가는 끌끌이 가방이 있는데, 그 가방을 끌고 오다가 잔치국수 먹고 싶다, 하는 내 말에 3,000원 짜리 국수 집을 알려주곤 데려가는 엄마. 말도 안 되게 대기 줄까지 길어 기다렸다 먹을 수 있는 정도였다. 와 이 정도라고? 가성비라 그런 거겠지. 먹어보니 국물은 시원하고 소면 양은 한 그릇 가득 담겨 있으니. 높은 만족도를 보일 수 있겠지만 내 입맛은 엄마가 해준 것보다 덜했다. 붕어빵 하나는 내 손, 엄마 손 각각 한 입 베어 물며 집으로 돌아왔다. 슈크림 붕어빵은 토리토리가 좋아해서 담아왔고.

Bad)

1. 토리토리는 엄마가 차려준 밥상에 군침을 마시고 눈이 휘둥그레지는 특징이 있다. 차려준 밥과 붕어빵, 꿀떡까지 온통 토리토리가 좋아하는 것 투성이니. 실컷 맛있게 먹었다. 연신 감탄사 연발. 오후에는 낮잠까지 청하시는 배부른 꿀돼지. 공부 좀 하더니 집중이 되질 않는다며 낮잠도 주무시고. 나랑 보내는 시간 대비 어찌 자기 생활이 더 많아지는 광경. 더 집중은 안 된다며 집으로 돌아가심. 자기 일이 더 중요한 듯한 현실주의 행동에 나에게 관심 가져주지 않는 것 같아 서운함을 표했지만. 인정하고 내 옆에 애교로 풀어주고. 모두 풀릴 수밖에.

2. 편도염으로 목이 여전히 따가운 탓에 약을 계속 먹었더니 약 기운에 취해 계속 잠이 몰려왔다. 어쩌면 인생은 잠과의 싸움인가 싶은 정도로. 잠은 사람도 동물도 정말 중요한 요소야.

10.29

요즘 애들'

(Good)

1. 꿀물을 타 먹은 오늘 아침. 가기 싫다 운동. 순간 생각했지만 운동복으로 환복, 곧 장 다녀왔다. 운동은 가는 길이 힘들지 하는 건 전혀 힘들지 않았다. 확실히 가벼워지는게 느껴지니까. 샤워하고 외출 준비를 미리 다 끝냈다. 오빠, 아빠 셋이서 엄마가 미리 끓여 놓은 닭볶음탕 한 그릇 함께 했던 점심 한 끼였다.

2. 당정역까지 지하철을 타고 갔다. 오랜만에 롱부츠를 신고 나들이 가는 느낌이라 꽤 높은 행복지수. 확인 끝. 발이 아팠다. 낮에는 따뜻한 기온. 제법 얇은 니트 하나 입고 다녀도 춥지 않은 날씨였다. 나와 20년 지기 친구, 푸름이는 초근 카페를 오픈했다. 오픈 준비에 이 고생, 저 고생, 맘 고생 끝에 탄생한 카페 친구 찬스로 정상 오픈 전, 미리 음료를 시음해볼 수 있었고, 무엇보다 카페 사업에 대해 알아가고 간접 경험해보기도 하고. 내가 할 수 없는 부분이고 자신 없는 분야. 이 친구는 자신이 하고자 하고 할 수 있는 특기를 살려 새롭게 사회에 나선다.

3. 같은 아홉수 우리 둘. 나는 종료를 알렸고 푸름이는 시작을 알렸다. 푸름이를 보며 깨닫는 것들이 많았다. 나는 '요즘 애들'이라고 말하는 일이 많아졌던 근래의 경험들이었다. 내가 벌써 늙은 건가. 싶은 생각들이 충돌됐는데 나도 '요즘 애들' 인걸. 우리는 늦지 않았고 언제든 새롭게 시작할 수 있는 나이였다. 우리는 새롭게 도약할 준비를 단단히 한다.

Bad)

.   토리토리와 아빠와 같이 먹은 밥상을 내가 설거지했다. 설거지는 뽀득뽀득한
    느낌이 좋아서 자진해서 하는 스타일이지만 아빠가 할 수 있는 일이기도 하니
    까. 내가 했다는 것이 그토록 별로 였다. 엄마는 너무 힘들었는지 기절하듯 잠
    들었다. 잠시 깨워서 같이 꿀물도 마시고 약도 챙겨 먹이고 마감하는 하루.

- 2022년 8월 27일. 오롯이 사랑 뿐인 엄마

" 엄마가 많이 사랑해 알지? "

" 어떻게 모를 수가 있겠어. 나는 엄마를 추앙해 "

바다의 철학
PHILOSOPHIE DES MEERES

귄터 융츠 지음
김희상 옮김

장 그르니에 김화영 옮김

그르니에 선집 섬

81 이십억 광년의 고독 다니카와 슌타로 김응교 옮김

땅과 바다

신화 종교 상징 총서 07 물과 꿈 질료에 관한 상상력 시론 가스통 바슐라르 지음 | 김병욱 옮김

552 자연 풍경 기러기 인간

카스파 다비트 프리드리히 노르베르트 볼프 지음 이영주 옮김

TASCHEN

예술가들이 사랑한 날씨

11.01

과감히 멈춤

(Good)

1. 오늘 아침 운동은 건너뛰었다. 남들 11월, 새로운 한 달의 시작을 달리고 있을 때 나는 과감히 멈춤. 여유를 선택했다. 남들, 보통처럼 산다고 해서 나도 보통 처럼 똑같이 살 이유는 없었다. 내가 행복하다면, 하루 속 깨달음 하나라도 있 다면. 지금은, 이걸로 충분한 것이다.

2. 여유로운 일상. 자고 싶을 때 자고. 늦장 부리고 싶으면 늦장 부리고. 배고플 때쯤 먹고 싶은 거 뚝딱해먹고. 청소하면서 소화시키고. 귤 까먹으면서 책 읽 고. 마음에 드는 구절 색칠하고. 이런 하루 또 언제 살아보겠어.

3. 바깥바람 쐴 겸 쓰레기도 버리고. 엄마 퇴근길 맞춰 마중 나가 돌아오는 길 산 책도 하고. 홀로 나갔던 마중 길이 토리토리와 둘이 함께, 아니 엄마와 셋이 함 께 하는 산책으로 변화된 요즘 행복하기 그지없다. 엄마의 웃음꽃이 더 많아진 것 같아서. 나 홀로 왔을 땐 허심탄회 털어놓는 한숨뿐이었다면 토리토리에게 는 그저 웃기만 해서. 토리토리와 저녁도 함께 먹는 엄마가 더 잘 먹는 것 같아 서. 주말 동안 아버님 일반병동에서 요양병원으로 옮기느라 정말 고생 많았다. 이 어려운 일을 홀로 해결하고 돌아온 토리토리가 안쓰러우면서도 든든하기도 하고, 무사히 돌아와 줘서 고마웠다.

(Bad)

1. 운동도 안 했으면서 오늘은. 식단이라도 타이트하게 했어야지. 해야 하는데 밀 가루 폭탄이었다. 내일은 진짜 비건 식단 실천해보겠어. 일반식으로 간다. 내일 진짜 운동 간다. 몸이 띵띵 부었는데 붓기인지 살인지 구별도 안가는 군.

1월의 첫 시작.

무난하고 여유롭다.

좋은 기운으로 가득했으면

11.02

원더우먼도 리폼이 되나요?

(Good)

1. 오늘은 기필코 아침 운동을 다녀오겠다던 내 포부와 다르게 운동은 건너 뛰고 또 한 번 늦장을 부렸다. 아침 내내 아무것도 하지 않았는데도 시간을 다 보내 버렸다. 배고파서 시간을 보니 점심 시간이다. 점심에는 어제와 다르게 비건 식단을 실천했다. 소화되지 않던 속은 매우 편했다. 건강 밥상 괜히 있는게 아니지. 기름 진 음식 일체 없는 밥상. 계속 이어 나가기.

2. 낮에는 청소를 했다. 아빠가 청소를 하는 날이면 먼지가 그대로 있어 내가 하는게 차라리 낫다고 생각, 자진해서 청소하다 아예 이집 청소하는 담당이 내가 되어버린 것 같달까. 하루 일하고 하루 쉬는 버스기사 근무표 덕분에, 아빠는 휴무인 오늘을 포함해서 집 청소도 내려두고 자기 할일만 신경쓰며 이기적으로 여전히 잘 즐기며 살아가는 걸, 배고픈 소크라테스가 아니라 배고픈 이기주의자. 그래도 내 기분을 위로해주는 건 알코올을 뿌리고 걸레 밀고 닦고 난 후 말끔히 반짝반짝 한 장판 바닥이다.

3. 어김없이 엄마 퇴근 시간에 맞춰 부리나케 빠른 걸음으로 걸어가 엄마를 픽업했다. 장보는 끌차를 끌고 마트에 가는 나와 엄마. 마감하고 들어갈 준비하고 있는 시장 안에 발이 닳도록 재빨리 움직여 장을 보는 엄마. 아픈 구석들이 이곳 저곳 엄마를 괴롭혀와 아파하면서도 아픈 티 내지 않고 꾹 참는 모습을 나에게 보여오는 것 같아 마음이 좋지 않았다. 내가 할 수 있는 건 무거운 거 들어주고 같이 병원 가주는 것.

Bad)

. 집 근처에 오래된 수선집이 있다는 걸 발견했다. 닳아 없어진 엄마 연골이나, 손가락 마디마디에 염증으로 가득차 부어올라 휘어져버린 곡선. 약한 모습은 일체 없던 원더우먼도 리폼이 되나요?

2. 토리토리가 하루 종일 회사 교육 듣느라고 한 끼도 제대로 먹지 못했다고 한다. 진짜 원인은 요양병원으로 이동하신 아버님의 잦은 통화에 지친 것 같으면서도 그런 마음이 드는게 좋지 않았던 거 겠지. 점점 우리의 부모님이 아픈 나이가 되어간다.

11.05

꿈으면 터진다

(Good)

1. 외사촌 동갑내기 친구가 결혼하기 전날, 우리 가족 모두 시골로 내려가기로 했다. 물론 이번에는 토리토리도 동행하기로 했다. 가족들에게 처음으로 인사시키는 자리가 되는 것. 시골로 내려가기 전 차 바퀴에 실빵구 발견. 단골 카센터가 있는 아빠에게 맡기고 다른 일들부터 정리하기로 했다. 단골 카센터가 있다고 하니 이번만큼은 믿어봐도 되는 거겠지 싶었다.

2. 청소도 다 하고 미리 짐 챙길 것들까지 다 챙기고 토리토리와 어쩌다 보니 오랜만에 진지한 대화를 하며 남은 시간을 채운 것 같다. 나도 토리토리도 떨어져 있는 동안 괜찮다 괜찮다, 하는 것들이 나와 함께 하는 시간에는 괜찮다 괜찮다, 하는 게 자신 스스로 더 이상 통하지 않는다는 걸 알게 된 것 같다. 아마도 서로 뭉쳐있던 속앓이를 같이 울면서 털어냈다. 눈물은커녕 내 울음에 공감 하나 잘해주지 않던 이 남자가 서운함에 복받친 내 눈물보다 더 고통스러운 눈물을 흘리고 있으니. 꼬옥 안아주며 위로 해주는 방법만이. 우리를 크게 만들었다. 우리 제법 많이 닮아 있더라.

Bad)

. 아빠가 봉투 두 개를 나와 오빠에게 건네주었다. 용돈이라 주더니 동시에 차
  바퀴 교체하는 데에 소비해야만 했다. 남는 건 교체한 바퀴일 뿐.

. 토리토리에게 서운한 건 작은 부분이었는데 오늘따라 왜 그토록 크게 와닿은
  지 모를 일. 오빠가 작은 거에 언성 높이는 것이 지치고 짜증 나고 스트레스가
  되어, 토리토리에게 울어버린 것 같아서. 작은 불씨가 큰 화제를 불러일으켜 버
  렸다. 토리토리가 처음으로 내 앞에서 엉엉 울었다. 아버님, 어머님 두 분의 짐
  을 혼자 안고 가는 게 너무 무겁다며. 지친다며. 나눌 수 있는 형제도 없어서.
  말해왔다. 지금 당장 같이 들어주지 못해 미안할 뿐이었다. 지금으로선 나보다
  도 더 힘든 토리토리에게 굉장히 잘못한 짓을 한 것만 같았다.

오빠도 나도 모두 사소한 다툼이 있었던 날이었지만

각사히 시골로 떠나는 차에 올라탔다.

11.06

기쁜 날 속상해야 했을까

(Good)

1. 새벽 12시가 되어갈 때쯤 시골에 도착했다. 가는 길 내내 토리토리 홀로 운전다 했다. 운전할 수 있는 사람 나 포함해서 2명 더 있었는데. 나 힘들까 봐 혼자 끝까지 다 운전했던 모양이다. 이럴 땐 나밖에 모르는 바보 같다. 우린 대충 세수와 양치를 하고 손발 닦고 잠들었다. 시골의 겨울은 오도돌 떨리는 추위라 보일러를 틀어도 금방 따뜻해지지 않지만 장판 틀고 이불 푹 둘러싸서 우린 그렇게 기절하듯 잠들었다.

2. 동갑내기 외사촌 결혼식. 할머니도 함께 결혼식장에 도착했다. 엄마가 할머니 옆을 지키느라 오랜만에 만난 친구들이나 지인들과 마음 편히 안부 인사 하나 나누기 어려워 보였다. 나는 그런 엄마를 보고 속상했는데, 엄마는 할머니가 편히 앉아 쉴 수 있는 곳이 마땅치 않아서 속상했다고 했다. 내 결혼식 때는 가족들 쉴 수 있는 휴게 공간이 제대로 마련되어 있으면 좋겠다고 하면서. 기쁜 날 속상해야 했을까, 싶기도 하면서. 사촌 동갑내기의 고사리 같은 손을 움켜잡고 있는 엄마 손을 보면서. 여러 생각이 들었다.

⟨Bad⟩

1. 결혼식이 끝나고 오빠는 아빠와 같이 아빠 차를 타고 먼저 집으로 돌아갔고 나와 토리토리, 엄마는 어린 꼬맹이 남자 트로트 가수 정동원 팬이자 집에서 열렬한 빠수니로서 시골 근처에 있는 하동에 들렸다. 정동원 카페에 가서 커피도 마시고 정동원 사진과 입간판 앞에서 포즈 취하고 있는 엄마를 예쁘게 사진 찍어주기도 했다. 그 시간은 고작 한 시간이었으나, 시골에 어른들 다 기다리고 있다며 서둘러 돌아가야 했고 마당에 돌판 삼겹살을 구워 다 같이 저녁을 먹었다. 토리토리에게는 잊지 못할 추억이 되길 바라며.

2. 우리도 마저 집으로 돌아갔다. 차가 꽉꽉 밀려 6시간 동안 토리토리 홀로 운전해서 도착했다. 왔다 갔다 장거리 운전 홀로 다 하느라 고생 많았던 우리 토리토리. 이젠 빼박 내 남자다. 집 차단기가 갑작스럽게 내려가는 일을 겪었어도.

11.10

이제 시작인듯한데 하루가 저문 느낌

(Good)

1. 출판업계가 궁금해진다. 경력 아닌 경력을 들이밀고 감히 도전해본다. 작은 기업으로 보이지만 도전해보았다. 작게 자기소개서를 작성하고 이력서, 포트폴리오를 던졌다. 꽤 많은 지원자가 지원했지만 결과는 상관없이 도전했다. 예전에는 위로가 필요해서 책을 읽었다. 힐링 되는 글귀를 찾고 그 글귀를 찾으면 왠지 모를 기쁨이었다. 하지만 지금은 다르다. 상처를 보기 위해 본다. 내 상처를 분명히 직시하고 싶어서. 책을 보면 나를 투명하게 만든다. 문장의 치유는 이루 말할 수 없는 힘이 된다. 그걸 알아버렸다. 이 일, 저 일 나름 쌓인 경험이 조급함을 천천히 가라앉게 했다. 하나씩 정리하고 하나씩 생각해보고 다시 또 생각해보는 시간을 즐긴다.

2. 책을 잘 쓰는 사람은 존재하지만 내 마음과 동일한 감수성을 지닌 책을 고르는 건 어렵다. 그 작가를 구하는 것도, 찾기도 어렵다. 해서, 나는 글을 잘 쓴다는 생각을 갖다 대지도 못하겠다. 다만 내 상처를, 현실을 직시하기 위해 글 쓰는 걸 결심했다. 몇 번의 출판 업계 구직활동의 결과 연락은 없다. 대기 중이면서도 취업을 반드시 해야겠다는 간절함은 없다. 다른 간절함이 생겼다. 내 글을 보는 독자들이 많아졌으면 좋겠다는 바람. 새로운 창구를 만나 새롭게 글 쓰는 걸, 커버 이미지와 도입부까지 출발했다.

(Bad)

1. 정말이지. 많은 일을 한 것도 아닌데 뭘 했다고 하루가 흘러갔다. 해가 빨리 지는 탓인가. 나는 이제 시작인 듯한데 하루가 저문 느낌.

2. 변하지 않는 아빠, 오빠 성질머리 짜증에 곤욕이다. 진절머리 나고 두통이 몰려온다.

3. 갑작스레 내려갔던 차단기는 관리 사무소 담당자가 소개한 업체 사람의 방문을 통해 누전 점검을 받아 점검을 밟았다. 옛날 아파트라 새로운 가전제품의 전기 사용량을 버티지 못하는 모양이었다. 차단기 교체만이 답이었다.

11.11

4년째에 첫 빼빼로 데이

(Good)

1. 토리토리와 만남을 시작한 지 4년째에, 11월 11일 빼빼로 데이를 처음 같이 맞이한다는 사실을 새삼 놀라웠다. 엄마와 마트 다녀오는 길에 빼빼로를 발견하고 알게 된 사실이었다. 빼빼로를 아예 안 사려다 토리토리가 서운해할 것 같아서 3개를 집어 들었다. 내꺼, 토리토리꺼, 오빠꺼.

2. 토리토리가 빼빼로 데이라고 꽃 두 다발을 양손에 들고 집으로 왔다. 그 모습이 어찌나 이쁘던지. 하나는 내꺼, 다른 하나는 엄마꺼. 각각 어울리는 꽃을 생각해서 사 왔다고 했다. 마음씨도 센스도 다 갖춰 있던 토리토리에게 감동받았다. 무엇보다 예전의 직장인 삶과는 달리 하루 매일 휴식기를 보내는 날마다 어색해하는 나에게 그래도 된다고, 격려해주고 위로해주고 다독거려주는 사람. 엄마도 토리토리도, 그래도 된다 충분히 쉬어도 된다. 듣고 싶었던 말 그대로 해주는 천사들. 최고!

(Bad)

1. 글의 상상력은 무한하다. 상상은 꼬리를 물고 늘어져 시작조차 할 수 없는 지경이었다.

2. 토리토리가 아버님 면회로 요양병원으로 갔다. 아버님 뵙는 동안 나와 종일 연락이 잘 되지 않지만 못한 것이 더 크다는 것 잘 아는 사실이니까. 내가 토리토리가 되지 못해서 100% 공감해주지 못해 미안할 뿐. 점점 더 나에게 털어내고 무거운 짐도 나눠가질 수 있도록, 홀로 들고 가는 것 보다 내려두는 것도 나쁜 게 아니라고, 나 역시도 의지할 수 있는 사람의 역할을 다하고 싶다.

11.12

7년차 요양보호사의 체력

Good)

. 7년 차 요양보호사로 힘들다는 말을 입에 매일 달면서도 꾸준히 종사하고 있는 엄마. 내 생일이었던 날 일하다 넘어져 탈골되어 수술도 하고 유방 혹 제거 수술도 하고 올해 수술만 두 번이나 해서 그런가, 싶기도 하지만 요양원에서는 분명 팔팔하게 돌아다니며 일하다 집에 오면 환자처럼 쓰려져 있는지. 7년 차가 된 것도 엄마가 멋진 사람인 것 같다. 앞으로 고꾸라져 넘어져 일어날 수 없을 것 같을 때 엄마를 보고 다시 일어날 수밖에 없었던 것 같다. 상처가 여기저기 나다 못해 진물이 나오는 것도 모르고 나 자신을 돌봐주지 못한 직장인으로서의 내 7년 삶과 닮았다.

. 점점 내 일상이 재미있어진다. 따분해지는 나의 백수 일상에 새로운 재미가 생겼다. 바로 글 쓰는 일. 포스트, 블로그, 인스타그램 3개의 SNS 채널로 향유의 글쓰기를 멈추지 않고 이어간다. 은유 작가님의 문장이 생각났다. 이것이 '글을 부렸다' 하는 것과 같을까. 샤벳이라는 새로운 웹소설 앱 플랫폼을 만나 작가로서의 삶을 시작하게 되었다. 연재하는 날을 정하고, 독자들과 약속을 지키기 위해 연재 날을 지키며 미리 글을 써두고 발행 예약을 걸어둔다. 장항선 감독의 말도 생각났다. '결국엔 의자에 오래 앉아 있는 사람이 이기게 된다.' 해서, 오래 앉아 있는 습관부터 기른다. 그리고 등받이를 샀다.

(Bad)

1. 일 마치고 돌아온 엄마의 저녁 식사를 위해 소고기와 삼겹살을 구워줬는데 급체해버리고 구토를 연발했다. 내가 해줄 수 있는 것은 등 두들겨 주고 따주고 가스 활명수 먹이고 재우는 일이었다. 이럴 때면 또 다시 휴식을 정한 나를 자책하게 만든다. 심히 흔들리고 심도 깊어진다. 엄마가 체력이 많이 약해졌다. 7년 차 요양보호사의 체력은 영원할 수 없었나 보다. 속상하다.

2. 어느새 내 일기장에 나의 이야기보다 엄마의 이야기로 적히는 게 많아졌다. 그만큼 요즘 내 관심사가 온통 엄마로 채워졌다는 거겠지. 휴식기 동안만이라도 나 바빴단 이유로 미처 돌보지 못했던 엄마를 제대로 케어할 수 있겠다. 요양보호사는 딸이 지킨다. 뭣도 모르는 뉴스가 요양보호사를 비방할지라도.

11.15

울다가 들켰다

(Good)

1. 아침 일찍 눈이 떠졌다. 엄마가 휴무인 날엔 저절로 떠진다. 이른 아침부터 움직이는 엄마의 부지런함은 따라갈 수 없다. 엄마 외출에도 일어나지 않았지만 조금만 더 뒹굴거리다 일어나 엄마에게로 갔다. 이전 집 도배와 입주 청소까지 끝냈다. 그 집은 삼촌 집이었으니까. 그래도 우리가 머물 수 있게 많은 배려를 베풀어주었으니까, 이사한 후로 우리의 안부나 삼촌의 안부나 서로 묻지도 않지만. 더 이상 돈 나가는 일 없으면 좋겠다. 내 돈이 아니라도 엄마 돈일지라도, 이제는 더 이상. 끝.

2. 유독 올해 끝나가는 요 근래 차 고장이 자주 나서, 오늘도 차를 고치러 갔다. 토리토리와 같이 둘이서. 모르는 것을 차분히 묻고 자재가 없어 바로 수리는 못했지만, 선불을 걸고 왔다. 자재가 오는대로 수리해서 더 탈 수 있을 때까지 타고 다녀야지. 집으로 돌아와 엄마와 토리토리와 셋이서 해물찜을 먹었다. 다툰 후에 먹는 식사였으나 배고팠는지 먹어도 배고프지 않았다. 시간을 보니 4시. 그러고 보니 우리 둘 셀프 사진 찍기로 약속했는데, 예약도 결국 내가 하고. 뭐. 이 정도 쯤이야.

(Bad)

1. 토리토리와 나의 입장차이로 다퉜다. 물론 서로 답답함이 있었긴 했지만, 그 상태에서 아무 말이나 지르는 토리토리가 너무나도 어리게 느껴졌달까. 이런 사람이 아닌데 이해할 수 없는 표정과 말투에 새로운 면모를 알았달까. 화나면 우는 본성이 있는 나는 안 울려고 꾹 참았는데 또 울고 말았다. 분해서. 집 앞 주차장에서 싸우면서 울다가 엄마한테 들키고야 말았다. 우리의 다툼은 엄마에게 들켰을 때 그쳤다. 엄마는 내 잘못을 말하지만, 결국 내가 우는 게 엄마한테 속상한 일이었다.

2. 오빠한테 말하면서도 울고, 집으로 돌아가 하루 마무리하는 우리 통화 속 토리토리가 자신의 못난 모습을 인정하고 사과하는 모습에 또다시 같이 울었다. 이 사람이 나와 많이 닮아져 있어서 한편으론 좋고 같이 울 수 있는 사람이 있어서 기뻤고. 우린 아직 애다.

11.18

막무가내에는 정답이 없다

〈Good〉

1. 에어팟 수리를 예약해서 가려 했으나 차가 이상함을 감지하고 결국 가지 못했다. 다음에 다시 예약하고 가야 할 것. 그 덕에 집 와서 간식으로 시리얼과 과일도 먹고 예약해뒀던 셀프 사진 찍으러 걸어갔다. 제한된 시간 안에 찍고 싶은 대로 마음껏 찍었다. 고르는 것도 시간제한이 있지만 우리 제법 여러 개 많이 찍었다. 매년 토리토리가 항해하고 육지에 있는 동안 함께 할 때, 우리의 모습을 담는 사진 기록이 우리만의 문화라는 듯 꼭 찍는다. 제법 서른을 준비하는 두 어른의 모습이 담겨 있으면서도 미래를 약속한, 의젓한 예비부부의 모습이 보였다. 당장 프로필 사진도 바꾸고. 굿.

2. 여권 갱신도 이어 했던 우리. 시청에 갔다가 여권 민원실은 다른 곳에 있다는 사실을 처음 알게 되어 다시 이동해 도착했다. 우리 둘 여권 갱신도 같이 하니 신기했어. 합쳐 10만원 가량 됐는데 그냥 내 돈으로 했다. 토리토리가 이런 것들 다 알고 잘해주면 좋겠다. 이기적이지 참 나도.

〈Bad〉

1. 차 수리하러 갔던 센터 직원분 중에 불쾌했던 그 직원분을 또다시 마주하게 되었다. 자신의 말이 맞다는 이유로 강요 아닌 일방적 강요를 받아 난 그에 대답하지 않는 걸 선택했고 토리토리는 일관되게 평온함을 일조했다. 내 속만 탔다. 막무가내에는 정답이 없다.

2. 식욕을 누가 끊어줬으면 좋겠다. 오늘은 기필코 저녁 먹지 말아야지 했는데 햄버거를 먹었다니.

11.20

결혼기념일. 자리를 피해주었다

(Good)

1. 4년째 함께하는 동안 토리토리의 습관 중 전화 받을 때 내 뒤에서 하거나, 문 닫고 하는 습관이 있다. 나와 비밀이 생긴 것 같아서 기분 좋지 않다고 솔직하게 털어놓았다. 우리 사이 비밀이 없었으면 한다고. 당당하게 받고 공유해주었으면 좋겠다고. 그 말을 들어주겠다고 대답해주었다.

2. 토리토리 자격증 갱신을 위해 해양수산부에 같이 갔다. 처음으로 와본 해양수산부. 이게 그 뉴스에서만 접했던 해양수산부라 이거지. 했는데 요즘 흔히 볼 수 없는 젊은이가 항해사로 일해요. 그게 우리 남정네입니다. 할 수 있어서 왠지 기분이 색달랐다. 정말 공무원들은 일하는 게 편할까? 하는 고민이 눈 앞에서 정답을 확인했을 때 왠지 모를 씁쓸함까지도. 하지만 진짜 좋아하는 일을 하며 살아가고 있는 내가 더 좋았다.

3. 엄마 아빠 결혼기념일인 오늘. 돈 없다며 나한테 말해오는 아빠가 무슨 속셈인지는 몰라도 알아서 케이크와 꽃까지 사 와 식탁 위에 올려두었다. 아빠의 거짓말에 기가 차다 못해 진절머리 난 지경이니. 엄마는 컨디션이 좋지 않아 울기까지 하는 모양. 그저 자리를 피해주었다. 토리토리가 나를 꺼내주었다고 하는 게 더 솔직한 표현일까. 진짜 오랜만에 카페 데이트를 했다. 거의 우리 집 데이트였는데 말이야. 차이나타운에 들어가 그 안에 예쁜 카페에 가서 맛있는 디저트와 음료를 즐긴 우리. 오랜만에 외출한 것도 신나서 더더욱. 부리나케 돌아가는 길이 아쉬웠지만.

(Bad)

1. 아버님 병원을 또 옮긴다고 하여, 준비해야 하는 서류가 꽤 복잡한 지 저녁도 먹지 못하고 쉬질 못한 채 집에 온 토리토리. 안쓰럽고 속상하고. 바로 잠드는 토리토리였다.

2. 반대로 하루하루 내가 하고 싶은 것, 마음껏 하고 힘들면 쉬고 이런 삶이 꽤 행복감을 느끼는데 이래도 되나 싶은 거지. 글쓰기가 잘 풀리지 않아도 고민하면 할수록 재미있게 풀리는 것 같고. 진정한 행복을 찾은 느낌. 주변 고통과는 달리 나만 행복감을 느끼는 것 같아.

11,22

_나를 갉아 먹는 지 몰랐다

(Good)

1. 운동 중에 전 회사 대리가 생각나서 오랜만에 연락했다. 나는 당당히 나 하고 싶은 일 살고 있어, 목표, 계획 없이 하루를 그저 최선을 다해 살아가기 위해 그렇게 살고 있다, 고 말했다. 그 하루의 의미가 얼마나 크게 느껴지는지 요즘 살아가면서 느껴진다. 나에게 10년마다 대운이 찾아온다는 사실을 알게 된 최근 그래서 그런지 하루하루 살아가면서 목표 없이, 계획 없이 살아가 보려고. 매일. 같이. 해야 할 일을 적고 지워나가는 삶이 아니라. 그걸 보고 성취감이라 착각하는 것도 모르고 뿌듯해하는 내 모습이 아니라. 오늘을 살아가고 있는 나의 하루에 얼마나 최선을 다해 살았는지, 기준을 두고 살도록 연습한다.

(Bad)

1. 매일 누군가 나도 정하지 못한 '해야 한다.'는 목표를 정해주는 것이 싫었다. 이게 얼마나 나를 갉아 먹는지 몰랐다. 목표, 계획 말고 오늘 나에게 주어진 하루에 얼마나 최선을 다하고 사는지에 집중해보는 것. 해보지 않은 일이라 어색하고 거부감이 있더라도 해보자.

2. 운동 중 지나가는 루트에 보이는 '수원사 불상' 앞에서 두 손 모아 기도한다. '나, 토리토리가 미래를 함께 그려 나갈, 함께 살 집도 사고 내년에 무사히 결혼 계획도 잘 성사될 수 있도록 이끌어달라고. 건강하고 부자 되고 행복하게 살게 해달라고. 우리 가족 또한 마찬가지 행복하게 살게 해달라'는 간절한 기도.

하루가 어느 때보다 빠르게 흘러간다.
회사에 다녔던 나의 하루보다 더 빠르게.
이렇게도 살아갈 수는 있긴 하구나, 할 정도로 신기하다

휴대폰은
장식이아니다

11.29

감사하는 일 많아져'

(Good)

1. 어제가 어떻든 내일은 어떨 것 같다는 예측도 염려도 필요 없는 날들의 연속. 불안함, 긴장은 이젠 모두 소멸되어 편안해 보이는 것 같다는 엄마의 말에 진짜 그런가, 싶어 더 마음이 편안해지기도 하고, 괜히 머쓱하기도 했다. 내가 괜히 편해지는 게 맞을까 싶고 죄책감이 자꾸만 드는 건 왜일까, 하지만 더 이상 내 인생 미루지 않고 하고 싶은 것 도전하며 살기로 한 결심 이루리라 다시 다짐했다.

2. 예전 같았으면 고통스러운 마음 내려 두고 싶어서, 어디론가 도망가고 싶은데 도망갈 곳은 없으니 그저 탈피하고 버리고 싶은 감정 소모들 모두 정리하고자 일기장에 적어 멘탈 유지에 애썼다면 요즘은 행복한 일, 감사하는 일이 많아져 잊지 않기 위해 적는다. 점심 한 끼라도 배고파하는 딸을 위해 하나라도 먹이고 싶은 엄마의 마음에 감사했다. 글 쓰기 전에 항상 집 청소를 도맡아 해오고 있는 일 중 하나, 청소를 다 하고 나면 내 기분까지 클린해진다. 이래도 되나 싶은 정도로 편안한, 이제서야 숨통 트고 사는 느낌.

(Bad)

1. 부산으로 출장 간 토리토리가 편하게 잠들지도 못하고 고생만 하는 것 같아 속상하다. 이 모든 시련이 언젠가 빠르게 지나가 버리길. 좋은 일이 곁들어 들어오길 바란다.

2. 집에 아빠가 없는 날은 유독 집안의 평온함이 가득해져 있다. 짜증 내는 일도 없고 짜증 내는 사람도 없으니 말이다.

너의 옆자리 늘 지켜 줄게 "

마이웨이

"그냥어른"이 됐다

12.02

이 얘기 저 얘기하며 울었다

(Good)

1. 늦지 않게 준비하고 나와 버스를 타고 수원역에 도착했다. 아침 출근 시간이라 기차 시간이 연착됐다. 마음이 놓였다. 그 이유는 만두팸 일원 중 군만두와 떠나는 전주 여행인 당일인 오늘, 군만두도 수원역에 도착해서 넉넉하게 기다리고 출발할 수 있었다. 우리 자리 맨 앞쪽으로 예매해둔 군만두의 센스 덕분에 문이 열릴 때마다 찬 바람이 들어와 꽤 추웠어도 나란히 코트를 덮고 잠들기 바쁜 모양새를 보였다는 것이 피식 웃음이 절로 나온다.

2. 전주역에 도착한 우리는 숙소에 먼저 들렀다. 가방을 놓고 첫 여정을 찾아 떠났던 우리. 먼저 밥부터 먹으러 갔다 역시. 전주 한옥마을 뒤편에 있는 시장에 '현대옥'이라는 콩나물국밥이 맛있는 집에 갔다. 나를 데리고 와준 군만두, 수란에 같이 먹는 콩나물국밥 한 그릇이 사르르 추위를 녹여주는 게 여운이 꽤 강렬하게 남기는 맛이었다. 허기를 채운 우리의 다음 코스로 전주 한옥 마을이 한눈에 내려다 보이는 뷰를 선사하는 카페에 갔다. 한참을 사진 찍고 카페에 들어와 뜨거운 햇살이 들어오는 창가 자리에 앉아 광합성을 즐기며 여유로운 시간 자체를 보냈다.

(Bad)

1. 저녁으로 한옥 마을에 위치한 음식점에 들러 주전부리를 사 와 숙소로 들어와 먹으면서 이런저런 이야기 군만두와 나누다 울었다. 온돌바닥의 뜨거움의 열기가 나도 모르게 흘러나왔던 눈물까지 뜨겁게 만드는 것 같아 싫었다. 좋은 기운으로 힐링하러 왔는데 울다니. 괜스레 미안한 마음이 들었다.

2. 30년 넘도록 엄마를 데려와 고생시키는 것 같은 아빠를 꽤 많이 원망하고 있다 못해 경멸, 증오, 분노로 가득 차 있었음을. 나의 아빠 존재보다 이제서야 알게 된 군만두의 가려져 보이지 않았던, 어깨 위 짊어진 짐 앞에서 되려 껴안아주고 싶었다. 우리는 서로를 위하고 격려해주고 그렇게 또 우리만의 상처를 공유하다 뜨거운 온돌바닥에 달궈지며 잠들 하루였다.

* 군만두 : 만두팸 중 일원

옥판에 내린 詩 한 조각

12,03

우리의 스물아홉이 먼저였어

(Good)

1. 어떤 옷을 입던 간 중요치 않은 시간. 그리고 함께하면 편안하고 재미있는 군만두. 아침에 눈 떠 조식을 챙겨와 방에서 도란도란 먹은 우리. 따뜻한 방 안에서 바깥의 시원한 뷰를 보여주는. 문을 열고 감성 사진과 함께. 우리만의 배부른 조식을 끝냈다. 초스피드로 화장하고 나와 오늘의 첫 여정을 떠나온 평화의 성당. 유명하다 못해 기도만 하고 왔다. 뜻하지 않게 천 원씩 넣고 두 손 모아 우린 기도했다. 올 한 해 잘 마무리하고 우리 가족, 토리토리 모두 건강하고, 집도 사고 부자 되고 행복하게 살 수 있게 도와달라고. 우리의 촛불이 켜진 걸 확인하고 나서야 발걸음을 돌렸다.

2. 걸어서 어디로 가야 할지 목적지 없이 걸어가던 우리, 주변 경관을 둘러보며 가는 길마저 힐링 같았던 그때. 잘 알려지지 않는, 넝쿨로 둘러싸여 묻혀 있는 동굴 하나를 발견했다. 이곳에서 우리 사진 찍으면 꽤 낭만적일 것 같아, 군만두는 꺼림직하면서도 예쁜 포즈 취하며 사진을 담았던 우리. (*2022년 2월에 방영된 스물다섯 스물하나 촬영지로 유명해지고야 만다. 첫 장면이자 마지막 이별을 고한 장소로 비친 TV속 예쁜 장소가, 우리의 스물아홉이 먼저였어. 군만두의 휴대폰 배경 화면이기도 하고.)

(Bad)

1. 돌아가는 기차 시간이 임박했던 때, 이상하리만큼 택시가 잡히지 않아 발 동동 구르며 오금 지리는 짜릿한 경험을 했다. 다리가 정말 후덜덜 거렸던. 다행히 총알처럼 날아 도착해주신 기사님 덕분에 안전하게 출발할 수 있었다.

2. 처음과 끝이 다이나믹했던 우리의 스물아홉 여행. 역시 아홉수는 만만치 않아

12.07

핸드메이드 코트

(Good)

1. 오늘도 10시까지 뒹굴거리다 일어나서 샤워하고 재빠르게 준비한 후 시장으로 튀어갔다. 먼저 도착해 있는 엄마를 만나 끌끌이 장바구니를 끌고 다니며 먹거리 재료들 가득 채워갔다. 그것도 부족한 지 양손에 들고 오기까지. 이 무거운 걸 내가 일하는 동안엔 엄마가 끌고 왔다 갔다 생각하니 마음이 미어져 오기도 했다.

2. 내 나이 서른이 다 되어갈 때쯤, 난생 처음 25만원 코트를 그것도 핸드메이드 코트를 구입했다. 울코트 90%. 제대로 된 핸드메이드 코트를 입어볼 것 같아 마냥 기분 좋다.

(Bad)

. 코트를 사는 건 좋지만 저축할 돈이 사라진 것 같아 속상함도 동시에 몰려온 건 쓸쓸하다. 이것을 채워줄 12월 실업급여가 얼른 들어왔으면 좋겠다.

. 이놈의 월급쟁이 생활 루틴. 언제쯤 해방할 수 있을까.

12.09

화분 위에 트리 장식

Good)

. 곧 다가올 크리스마스를 위해 우리 집만의 문화가 있는데 평소엔 거들떠보지도 않는 엄마의 힐링 스팟, 베란다에 놓인 화분들 위에 트리를 대신하여 여러 장식들을 올리고 돌리고 꾸민다. 그 역할은 나의 역할. 엄마도, 오빠도 해본 장식들이지만 내 성에 차지 않으니 결국은 내 몫이 되어있다. 트리 장식을 꾸며 놓고 보니 크리스마스를 다른 사람들보다 빠르게 맞이한 것 같은 특별함이 느껴지기도 했다. 제법 2021년 마지막이 느껴진다.

2. 29살 동갑내기 작가가 쓴 이야기를 바탕으로 한 드라마 방영이 시작되었다. '그 해 우리는' 드라마는 나와 토리토리의 공감을 끌어내었다. 그것도 최우식, 김다미 배우의 조합이라니. 애초에 마녀 영화를 봤던 사람은 다 알 것. 상극의 적대 적이 커플로 나온다면 어떤 흥미로움을 가져올지 가늠조차 할 수 없다. 둘 다 내가 좋아하는 배우기도 하고. 무엇보다 우리와 동갑내기 '작가'의 글이 드라마가 되어 보이는 것이 어떤 부분에 몰입감을 채우는 지 캐치하고 싶은 욕구가 마구 솟아났다.

Bad)

. 웹소설 플랫폼에서 주최하는 '릴레이 소설'에 참여하기 시작했다. 어떻게 될지 모르는 스토리에 일단 참여하고 본다. 알 수 없는 앞날처럼 해볼 수 있는 건 해보자고. '항해' 로 연재하고 있는 내 글도 곧 완결 시점을 노려야 할 듯싶다.

. 이사 온 집의 최단점을 발견했다. 내벽에 성에가 껴서 물이 뚝뚝 떨어질 정도였다. 성에를 막기 위해 21시까지 창문 열고 환기하는 방법뿐인 건가. 무식하지만 원초적인 방법이 가장 효과를 보기도 한다. 벽을 만져보니 확실히 물기가 없는 걸 확인할 수 있었으니까. 하지만 겨울 환기는 너무 춥다.

12.11

켓이 잠들었다

(Good)

1. 시골에 새벽 12시 되기 전 도착했다. 속도 130까지 밟아서 도착했다. 가는 길만 4시간이 걸리다니 제주도 가는 시간보다 더 오래 걸린다. 첫 휴게소에 들려 우동부터 엄마 저녁으로 먹일 계획이었는데 휴게소 식당 문이 닫혀서 다음 휴게소로 빠르게 이동해 먹을 수 있어서 다행이었다. 어느덧 내가 먹는 것보다 엄마 먹고 싶은 것들 기준이 되어 챙겨주는 순서가 달라진 걸 확연히 볼 수 있었다.

2. 아침 7시에 일어나 엄마와 막내 외삼촌이 배추 자르는 걸 같이 옆에 보면서 잠을 깬 듯하다. 김장은 역시 부지런 해야 해. 오빠도 막내 사촌 아기도 일어나는 것까지 보고 나는 9시 되기 전 부산 영도에 도착해야만 하기에 시골에서 부산으로 운전해서 이동했다. 부산 영도에 도착. 면접시험을 마치고 나오는 토리토리가 바로 운전대를 잡고 나와 함께 드라이브 겸 해운대로 향했다. 바다도 같이 보고 광안대교를 건너 센텀시티도 구경하고. 부산대교를 건너는 우리 차는 하늘 위에 나는 느낌. 우리 둘이 나란히 날아가는 것 같아서 행복 구름 위에 살포시 올라 둥둥 떠 있는 것 같아서. 행복감은 잠시 정신 차려보니 시골에 와있는 우리였다.

3. 저녁에는 가족 다 같이 불 주변에 둘러싸 앉아 고기도 구워 먹고 술도 나눠 마셨다. 토리토리를 우리 외사촌 가족들에게 소개해주는 자리치고 너무도 편한 자리였는데 이게 다 우리 좋은 엄마 가족들 그러니까 좋은 외삼촌들이기에 형성되지 않았을까. 토리토리는 우리 가족 깊은 곳으로 입성했다. 그렇게 시골 부엌에서 오빠, 나, 엄마, 토리토리 넷이 잠들었다.

(Bad)

1. 시골 가는 길까지 아빠는 우리 시골 갈 때 여윳돈은 어떻게 마련하고 가는지 묻지 않았다. 오로지 자기 생활비 챙길 궁리만 했다. 그 모습에 분노가 끓어 올랐다. 시골에 우리가 잘 도착했는지 연락 하나 없었다. 그렇게 혼자 사는 인생 쭉 살았으면

절망도 없다면 실망도 없는 법

더 별건가!

딸 아빠 너무 많이 미워 하지 마

아직도 아빠한테는 딸이 애 같다

나를 지식인이라 할 수는 없다. 나는 끊임없이 무언가를 ...고자 하는 사람이었고 지금도 그렇다. 하지만 이제는 별 ...을 바라보거나 책을 들춰 보며 찾지 않고, 내 몸 안의 피가 내는 소리의 메시지를 듣기 시작했다. 내 이야기는 즐겁지 않고, 만들어진 이야기처럼 달콤하거나 조화롭지 않다. 자신을 속이며 살지 않겠다는 모든 사람의 삶처럼, 무의미함과 혼란, 그리고 광기와 꿈의 맛이 난다.

저마다 삶은 자아를 향해 가는 길이며, 그 길을 추구해 가는 것이다. 자기 자신에게 도달하고자 끊임없이 추구하는 좁은 길을 암시한다. 지금껏 그 어떤 사람도 완전히 자기 자신이 되려고 애쓴다. 어떤 이는 모호하게, 어떤 이는 좀 더 투명하게, 누구나 출생의 ...구든지 그 나름대로 최선의 노력을 한다. 누구나 출생의 ... 태고의 점액과 알껍데기를 삶의 끝까지 갖고 간다 ... ...간이 되지 못한 채 개구리에 그쳐 버린다. 또 더러는 싱 ... ...게 그쳐 버린 ...도 한다. 하지만 ... ... 더진

12.13

...제의를 거절했다

(Good)

1. 면접 제의가 왔다. 카피라이터 직무도 맞았는데 왠지 모를 생각으로 받아들이지 않았다. 제법 거절도 할 줄 알아 나. 돈이냐 가치냐 앞에서는 지금 나의 결론은 단정 지을 수 있었다. '가치'가 맞지. 가고자 하는 방향에 시작했다면 끝은 봐야지 않겠나. 이런 생각의 여유까지 드는 걸 보면 나 자신에 대한 믿음 또한 큰 모양이지. 연차가 적었던 시절의 나였다면 돈벌이가 더 우선 목적이었을 테야.

(Bad)

1. 토리토리 집마저 이사 준비로 정신없는 나날이라 했다. 어쩜 이런 바쁨도 통하니 우리. 서로 사는 집 말고 그냥 '우리' 집이었다면 한번에 바쁘면 되었을텐데 말이야.

2. 글로 수입을 마련한다는 건 길고 길게 봐도 될까 말까라 했다. 글로 돈을 버는 일은 어렵지만 글을 통해 돈을 버는 수단이 마련되는 건 쉽다 했다. 아이러니 하게도 글쟁이로만 살기엔 버거운 세상이란 것이다. 글쟁이 말고 글의 영향을 전파하는 사람, 그것이 나의 시작이다.

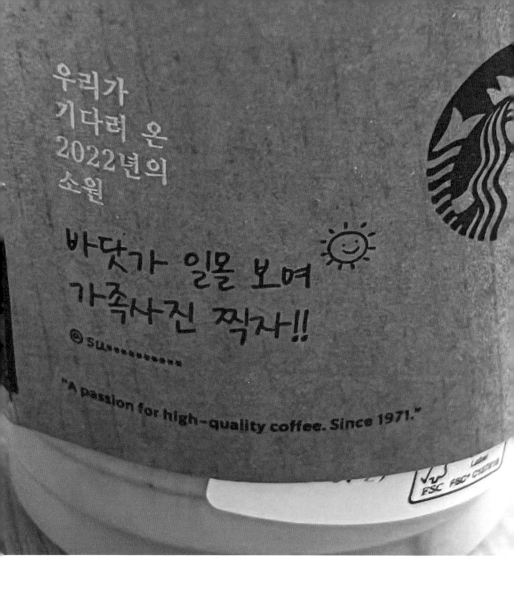

우리가
기다려 온
2022년의
소원

바닷가 일몰 보여
가족사진 찍자!!

© Su■■■■■■■■■

"A passion for high-quality coffee. Since 1971."

12.18

이유 없이 기분 좋은 날

(Good)

1. 나한테도 이런 일이 있을 수 있나? 싶을 정도로 오늘은 그냥 눈뜨자마자 이유 없이 기분 좋은 날이었다. 엄마 옆에 나란히 이불 덮고 낮잠자는 토리토리가 귀여워서였을까.

2. 토리토리에게도 좋은 일들이 생겨났다. 아버님 요양병원 병실도 잘 모셔드렸다고 했다. 다음 주 월 화 수 부산 교육에 간다고 했다. 동행에 허락해준 토리토리. 아싸— 덕분에 홀로 부산 여행이 될 수 있겠어.

(Bad)

1. 부산역에 도착한 후, 토리토리와 국밥도 먹고 영도 바다 가서 예쁜 사진도 찍고 많이 남겨서 기분 좋았는데, 뭔가 허전한 느낌이 들었다. 뭔가 집에 두고 온 물건이 있어서일까. 아니, 정확히 알고 있다. 엄마, 토리토리, 나 셋의 그림체가 무너져 있어 그럴 것이다.

토리토리 사진작가. 적극적인 협조 너무 좋았어 아주 칭찬해.

12.22

할부로 사준다고 했다

(Good)

1. '그 해 우리는' 드라마를 너무나도 인상 깊게 보는 우리였다. 부산까지 와서도 포기할 수 없는 본방사수. 우리 친구의 모습을 보는 친숙함 때문일까 공감, 돌입, 집중 3박자 모두 갖췄고 우리 눈에 눈물까지 고이게 했다. 손에 들고 있던 교촌 허니콤보는 놓지 않고서.

2. 부산에서 보내는 마지막 날. 이 겨울 날씨에 겉옷을 걸치지 않아도 따뜻한 날씨를 자랑하고 있었다. 패딩이 짐이 되는 날씨라니. 토리토리가 교육에 가 있는 동안엔 거의 잠만 잔 것 같다. 집에 있을 때보다 마음이 더 편한 건 어째서일까 부산역 광장에 놓인 큰 빨강 우체통에 우리의 소원 카드를 적어 넣은 후로 마음의 안정을 찾은 것 같기도 했다.

(Bad)

1. 올해 유난히 토리토리와 처음 맞이하는 기념일이 많은데, 이번 크리스마스도 년 만에 처음 맞이하게 되는 것이었다. 1주년 선물로 토리토리가 나에게 주었던 지갑이 다 떨어졌는데 그걸 보고선 '명품 지갑' 골라, 하더니 '할부로 사준다'고 했다. 마음에 걸린다.

12.25

최고의 크리스마스

(Good)

1. 엄마가 이렇게 많이 웃은 날이 있었나 싶은 정도로. 엄마가 좋아하는 '정동원 성탄 콘서트'에 우리 토리토리가 팔짱을 끼고 콘서트 자리까지 찾아주었다. 이 콘서트 티켓을 구매한 건 오빠였지만, 데려다주는 것은 우리의 선물. 저리 행복한 엄마의 표정을 토리토리가 가족이 된 후 유독 많이 보이는 것 같다. 특히 올해 더.

2. 날 웃게 하는 건 토리토리였다. 처음으로 함께 맞는 크리스마스이자 1,400일을 맞이하는 우리의 기념일 파티였다. 사랑하는 사람들 모두 한 공간에 모였다. 오빠, 엄마, 토리토리, 나. 내가 좋아하는 올라프 케이크는 사지 못했지만 우유 케이크니까 만족했어. 와인과 그리고 명품 지갑의 조합이 제법 잘 어울렸어. 완벽하게 행복한 '최고의 크리스마스' 였다.

(Bad)

1. 스타벅스 다이어리를 얻기 위해 판교까지 갔더니 8시밖에 안됐는데 '8시' 마감이에요, 했다. 젠장. 하지만 반드시 내 손에 잡혀 있을 테지.

12.27

엄마에게 전화가 왔다

(Good)

1. 아침 9시 즈음 운동을 할까 말까 고민하던 찰나 엄마에게 전화가 왔다. 이 시간에 전화할 사람이 아닌데 전화가 오니 겁이 나 벌컥 받았다. 요양원에서 선생님들과 다 같이 선별진료소로 코로나 검사를 받으러 가야 하는데 택시가 잡히지 않으니 데리러 와달라는 부탁이었다. 다행이었다. 지난번 일하다 엄마의 어깨가 탈골되어 응급차 타고 수술한다고 했던 전화 후로 심장이 쿵 내려앉는 건 여전히 익숙지 못해.

2. 오늘도 사랑한다, 파이팅이다. 해주는 토리토리를 사랑할 수밖에 없다. 오늘도 어김없이 건네오며 잠을 깨워주었으니까. 매일 아침 함께 눈을 뜨는 영상통화 속 우리. 썩 나쁘지 않은 행복이다.

(Bad)

1. 푸름이와 만나 이런저런 이야기를 나눴다. 우리의 이야기는 푸름이의 고민이 주가 되어 흘러갔다. 내 안부를 모두 드러내지 않은 내 잘못이려나. 그저 어떤 이유든 서로 아끼는 마음 하나만 쭉 유지되었으면. 내가 불안해지려 해.

12.31

좋은 것은 남아있으라는

(Good)

1. 요즘 나의 루트다. 아침 9시 30분 기상. 정확히 이 시간이 되면 자동으로 눈이 떠진다. 2021년의 마지막인 오늘도 어김없이. 엄마는 시장에 장바구니를 끌고 가자고 했고 그 안에 화장품, 과일 가득 담아 집으로 무사히 돌아왔다. 모두 나의 것이었다. 엄마의 사랑이 가득 담겨있다.

2. 2021년. 그 누구보다 빨리 지나가길 바랬던 나는 드디어 마지막 날을 보내고 있음에 실감할 수 없었다. 모든 액운들이 빠져나가고 좋은 것은 남아 있으라는 나만의 인사 방식으로. 나의 의미로. 한 해 를 마무리 하는 방법을 실행했다. 12월의 마지막의 다음 날 아침에 버선발로 쫓아와 안아주러 올 토리토리도 모두 좋은 일들만 가득해오길.

(Bad)

1. 모두 써 내려 갈 수 없지만 가장 큰 터닝 포인트가 있었던 해였다.
2. 과감히 멈춤을 선택했고 과감히 시작을 선택했다.
3. 가장 먼 거리에 있던 우리가 만나면 가장 가까운 거리에 있다 늘.
4. 그렇게 우리는 2022년, 모든 새해 복 먹을 것 같은 예감이다.

-2021년 나의 아홉수 내력역은 튼튼했던 모양이다

2022년 9월. 이 글을 쓰고 있는

서른의 내가 꽤 행복한걸 보면

대단하다

존경한다

은미 이즈 원들

나의 아홉수를

다독거려주셔서 감사합니다

당신의 아홉수도 만만치 않겠지만

나의 아홉수의 이야기로 서로의 아홉수를

뜨겁게 안아주었을 거라 믿습니다

우리 그만 보내요

우리를 반으로 분열된 영혼으로 만든

아홉수 자식

서른의 이야기는 더 견고 할까

현재진행형으로 써 내려가고 있는 오늘

다시 한 번 알리고 싶을 거이다

보잘것없이 꼬적이고 있는 나라는 사람도

글 쓰는 걸 하면서 웃고 울고 째 져미있게

잘 살고있는지 궁금 할 테니까

275

Soul Split In half

반으로 분열된 영혼의 과감한 멈춤

은미 지음

사진·그림 은미

편집 은미

디자인 은미

제작 은미

발행인 은미

이메일 dhfdlsxodid@gmail.com